KB196476

삶의 정원 거닐며

삶의 정원 거닐며
•
인쇄일·2021. 9. 10.
발행일·2021. 9. 15.

지은이 | 김현찬
펴낸이 | 이형식
펴낸곳 | 도서출판 문학관
등록일자 | 1988. 1. 11
등록번호 | 제10-184호
주소 | 04089 서울시 마포구 독막로 28길 34
전화 | (02)718-6810, (02)717-0840
팩스 | (02)706-2225
E-mail | mhkbook@hanmail.net

copyright ⓒ 김현찬 2021
copyright ⓒ munhakkwan. Inc. 2021 Printed in Korea

값·15,000원

ISBN 978-89-7077-632-3   03810

이 책의 저작권은 저자와 도서출판 문학관이 소유합니다.
한국 내에서 보호를 받는 저작물이므로 무단 전재와 무단 복제를 금합니다.
※ 파본은 바꿔드립니다.

삶의 정원 거닐며

김현찬 에세이

문학관books

삶의 정원 거닐며

나무와 풀 꽃향기로 가득한 정원, 향기 없는 꽃도 아름답다.

이름 없는 꽃도 많고 기이한 모습의 작은 꽃도 같은 모양 없이 비슷한 종속으로 어울려 산다. 벌 나비 곤충도 연관된 꽃과 식물이 있다. 동물도 이롭고 해로운 식물을 가려내며 이용한다.

살아있는 건 서로 관심과 사랑이 필요하다.

옛날 동화처럼 대화도 가능한 세상, 요샌 반려하는 동물- 개나 말, 앵무새, 일부 설치류도 소통이 되나 보다. 식물도 관심과 사랑 속에 자기표현 할 줄 안다.

자연적 앵두나무도 솎아 주고 작은 화분도 물 주며 관심 줄수록 생기있는 모습을 보여주는 것이 기특하다.

온갖 전설 가득한 속에서 즐기며 사색하며 거닌다.

문득 전생이 있다면 나는 무엇이었을까 궁금하다.

늦여름 짝 찾는 매미의 울음소리와 널려진 흔적을 본다.

정원은 조용히 제 할 일로 분주하지만 움직이는 것일수록 힘으로 소유할 것 많아 열린 초원의 세상은 시끄럽다.

지혜로 하늘 높이 머리 들고 두 발로 걷는 사람은 동, 식물과는 조금 달라야 하지 않을까. 땀 흘리는 농부는 사랑과 관심의 결실로 자연의 선물을 고마워한다.

삶의 정원에도 모두 같은 것 같지만 같지 않다.

뚜렷한 목적 있는 삶은 목적까지 때로 과분한 욕심이 기이한 형상의 열매로 부푼다.

정원의 질서에서 내가 살아가는 길이 보이고 의인화된 작은 무대처럼 삶의 모습을 표본화한다. 한줌의 흙으로 이 모든 것 아우를 수 있는 또 하나의 삶의 터전이 되기도 하는,

이제는 전설이 된 '타샤 튜더의 정원' 그녀도 이런 마음의 작가로 그림과 예술품도 만들고 삶의 정원을 가꾸었을 것 같다.

그래서 아직 움직일 수 있는 여유가 무언가를 끄적거린다.

책상 위에서 자판 두드리며 손과 입으로만 지혜의 활용을

편히 사용하는 세상이나 그 결과는 만족 없이 늘 부족하다.

나는 한 번도 주인공이 되지 못한다. 삶의 정원을 돌며 자연이 위로하는 즐거움을 언니의 소품 유작과 오빠의 사진 작품으로 함께 거닐어 본다.

뒤늦게 함축하는 생각이지만 아직 수필을 즐기며

삶의 정원을 함께 거니는 사람들이 있어 행복하다.

하나님, 부모님 은혜 감사합니다.

수필의 길 안내자 피천득, 서정범, 안병욱 교수님

열어주신 윤재천 교수님과 지연희 선생님 현대수필 동인들

출판에 애쓰신 이형식 문학관 지인들 감사합니다.

2021년

#2 가을의 속삭임

#3 生의 뒤안길

#4 시간의 메아리

#5 예술의 쉼터

#1 꽃들의 세상

- 사랑은 가장 가까운 가족에게서부터 시작된다 -

- 세상은 소유할 것 있지만
우리는 소유하는 것이 아니고 잠시 스쳐갈 뿐이다 -

수선화

꽃을 피우는 마음

'수선화가 피었어요.'

어느 해 10월에 친구가 '수선화 분양합니다'라고 컴퓨터에 문자를 띄워 꽃을 좋아하는 사람 모두 리플 달아 조그만 구근을 10개씩 받았다. 그 친구 얘기가 냉장고에 넣었다가 한 달 안에 심으면 된다는데 깜빡 잊고 조금 지나 심었다. 혹시나 했지만 나무에 물을 주면서 또 잊고 있었는데 싹이 나기 시작하더니 히아신스처럼 물에 담근 것부터 피기 시작한다. 그래두 봄에나 피겠거니 했는데 얼마 전 꽃 피운 크리스마스 선인장처럼 요즘 온도변화에 꽃피울 시간도 헷갈리는지 겨울에 피는 선인장 같은 수선화가 한겨울에도 피는 꽃인가? 외부 온도는 일정치 않아도 실내는 조금 따뜻하니 필 수도 있겠지, 왠지 다른 꽃도 좋지만 수선화의 독특한 모습이 좋다.

어느 해 이른 봄에 피고 향기가 좋아 내가 수선화 좋아하는 줄도 알고 제자가 생일축하한다고 선물했는데 얼마큼 피더니 명은 길지 않아 잎마저 죽어버려 조그만 화분이라 무심히 한 구석에 두고 잊었다. 그 이듬해 잎이 나온 것도 몰랐고, 향기가 나서 무심코 보니 '어머나 세상에 노오란 예쁜 것이 생일축하하려고 나온 것 같아 봄이 온 걸 알았고 얼마나 대견하던지…' 그것이 구근인 것을 잊고 있었다.

꽃말이 자기애, 자아도취, 자신이 사랑하는 것(자신만 사랑하는 어리석음)을 뜻한다.
그리스 신화에 나르키소스라는 청년이 너무 잘 생겨서 많은 여자들에게 사랑을 받고 고백도 받았지만 항상 거절했다.
거절당한 여자는 내가 가지지 못하면 누구든 가지지 못하도록 복수의 여신을 찾아가 청원했다. 복수의 여신은 그 소원을 들어주어 나르키소스는 사랑하는 사람과 이루지 못하고 산속을 헤매다

샘물 속에 비친 자기 모습 보고 사랑에 빠져 물속의 자신 모습을 보다 죽게 되었다. 세상에 이런 일이!

어릴 때 어머니는 꽃을 잘 가꾸셔서 이름 모를 꽃이 많았다.

앞 언덕 꽃밭에는 백합이 언제나 그 자리에 피는 걸 보고 당시 그것이 구근인지 모르고 신기했다. 마당에 있었다면 당연히 이 수선화도 그렇게 한자리에 계속 필 것이다.

생명의 강인함, 그리고 제가 나올 때를 알아 움직이는 자연의 신비가 경이롭다.

수선화를 알게 된 건 언제인지 3월에 피는 꽃으로 알게 되어 좋아했을까? 다른 꽃과는 조금 다른 생김새 꽃말은 외로운 나르키소스의 자기사랑인데….

올해도 그 조그만 화분은 그대로이다. 그러나 잎은 아직 보이지 않는다. 무관심하긴 했는데 올해도 나를 위해 꽃을 피워 줄까? 아직 살아있는 건가?

작은 풀포기 생명 하나도 자기가 세상에 나올 때를 안다. 생명이 있는 한 자기의 소임을 다하고 있다.

나는 이 세상에서 내가 할 일을 다 하고 있는 건가?

개나리

봄향기 타고 두둥실

을씨년스런 날씨와 우중충하게 늘어진 풀 숲사이로 노란 개나리가 피기 시작하면 봄이 온다. 개화 시기는 3월 말~4월 초 빛이 잘 드는 양지바른 곳에 잘 자란다. 추위와 공해에도 잘 견디고 생장속도가 빠르며 키는 3m 정도이며 많은 줄기가 모여난다. 어디서나 잘 자라고 씨로 번식되고 줄기는 초록색이 자라면서 회색빛이 도는 흙빛의 휘어진 가지를 휘묻이하거나 꺾꽂이도 쉬워 정원이나 공원, 길가에 많이 심고 있다.

수술이 암술보다 긴 꽃과 짧은 꽃, 2가지 꽃이 핀다. 꽃가루받이는 긴 수술의 꽃가루가 암술이 긴 꽃의 암술머리에 도달하거나, 짧은 수술의 꽃가루가 암술이 짧은 꽃의 암술머리에 도달해 열매가 맺힌다. 노란 통꽃은 꽃부리 끝이 4갈래로 갈라져 아주 많이 피지만 2가지 꽃이 같은 곳에서 잘 피지 않아 열매가 잘 맺히지 않는다. 꽃이 핀 다음 잎은 타원형으로 마주 나고 잎 가장자리는 톱니처럼 생겼다.

옛날부터 약으로 쓰는 술의 하나인 개나리주酒는 봄에 개나리꽃을 따서 깨끗이 씻어 술 담근 것으로 여자들의 미용과 건강에 좋다. 가을 열매를 햇볕에 말려 술로 담근 연교주連翹酒는 개나리주보다 향기가 적다. 개나리주는 해독, 소염, 강장, 이뇨작용에 효과가 있고 여성들의 화장수로도 이용된다.

개나리의 꽃말은 '희망'이나 개나리 꽃말에는 슬픈 이야기가 있다. 옛날 시골 어느 마을에 가난한 가족이 가장인 아버지가 세상을 떠나자 어머니 홀로 개나리라는 이름을 가진 딸과 아들 두 명을 키웠다. 가난한 생활을 이어가던 도중 어머니도 병들어 눕게 되자 여섯 살 난 개나리가 대신 밥 동냥으로 식구들 끼니를 해결했다. 힘든 나날을 보내던 개나리 가족은 추운 겨울 아궁이 불이 번져 모두 세상을 떠났고 다음해 봄, 집터에는 이전에 보지 못한 노란 꽃나무가 자라 그 후로 사람들은 그 꽃나무를 개나리라고 불렀다고 한다. 개나리 가족이 그랬듯 어려운 상황에서도 옹기종기 모여 희망을 잃지 말라는 의미에서 꽃말이 희망인가보다.

또하나 인도에 새를 좋아하는 공주는 궁전 가득 새를 채웠으나 금빛 장식의 새장에 넣을 예쁜 새를 찾아 헤맸다. 어느 날 남루한 노인이 가져다준 예쁜 새를 목욕시켰다가 까마귀에 물감 칠을 하여 자기를 속인 것을 알아 그만 화병으로 앓다가 죽고 말았다. 까마귀에게 빼앗긴 새장이 아까워 화가 치민 공주의 넋은 금빛 장식을 붙인 새장 같은 개나리꽃으로 피었다. 다닥다닥 눈이 어지럽게 피었다가 아차 하는 순간 와르르 져 버리는 꽃 개나리는 화려한 인도 공주의 성격을 닮은 모양이란다.

하찮은 들꽃이라도 자세히 보아야 아름답고 사랑스러운 식물들은 사람들에게 이롭다. 독초라도 잘 사용하면 명약이고 꽃말에도 여러 사연으로 다시 한 번 그 꽃을 보게 한다. 봄에 피는 꽃들은 더욱 더 혹독한 계절을 이기고 눈속에서도 파리한 모습이나 화사한 꽃을 피워 잃었던 용기와 희망을 북돋아 준다. 누가 꾸민 평범한 이야기인지 몰라도 구구절절한 꽃말은 어린 시절로 돌아가 우리를 동화의 세계로 안내하며 삶의 과정과 길을 일깨워 준다.

붓꽃(아이리스)

신비로운 아이리스

　지금은 거리가 온통 건물 투성이니 꽃 많은 개인 주택을 보면 옛 시절이 그립고 아파트로 변해 어머니가 원하던 마당 넓은 집이 그립다.

　아파트 베란다에 기르면 흙 투성이가 되어 정원에서 자연스럽게 철 따라 피고 지는 꽃이 손질은 많겠으나 그립다. 나이 들어 초원을 그리워하며 살아있는 모든 것과 무생물체도 작품 소재가 되어 새삼 귀하지 않은 것이 없고 버릴 것이 없다.

아이리스 꽃 알아요? 왜 유독 그 꽃을 선택했는지 내게 관심 있던 어떤 사람이 물었다. 그때 우리 이름으로 붓꽃은 알았으나 그 꽃이 아이리스인 줄 몰랐다. 남자인데도 '난 그 꽃이 참 좋더라구요.' 무어라고 대답했는지 잊었지만 때가 3월이었는데 화원이 많지 않아도 아이리스를 찾아다녔다.

지금처럼 온실 꽃이 나오지도 않으니 모두 통명스런 대답이다. 알고 보니 나도 좋아했던 수선화처럼 좀 추상적 매력 있는 붓꽃이다. 동양화에서 제일 먼저 배우는 사군자 난잎 치기를 하며 또 한 번 매력을 가졌던 그 집안들, 화투에선 5월의 꽃으로 소개되는 프랑스, 요르단 국화도 아이리스라고 한다.

아이리스 꽃말은 기쁜 소식, 신비로운 사람, 존경, 아름다움을 가지고 있는 사람.

전설은 유럽 이탈리아에 명문 귀족 출신으로 착한 마음씨와 성품을 지닌 '아이리스'라는 미인이 있었는데 그녀는 로마의 왕자와 결혼했으나 왕자가 병으로 세상을 떠났다.

홀로 남은 아이리스에게 청혼하는 이는 많았으나, 아이리스는 항상 푸른 하늘만 동경하며 응하지 않았다. 어느 날, 산책길에서 젊은 화가를 만났는데 아이리스를 사랑하게 되어 청혼했고, 화가의 열정에 감동한 아이리스는 "살아있는 것과 똑같은 꽃을 그려주세요"라고 했다. 화가는 열정을 쏟아 그림을 그려 아이리스는 훌륭하고 아름다운 그림을 보고 감동했으나 이 꽃은 향기가 없다며 문제 삼았다. 그 순간 노랑나비 한 마리가 날아와 그림속 꽃에 내려앉았다. 아이리스는 감격하여 화가에게 안겼다.

이후 푸른 하늘빛의 꽃, 아이리스는 그들이 처음 나눈 키스의 향을 그대로 간직하여 지금도 꽃이 필 때 그윽하고 은은한 향기를 풍긴다고 한다.

그리스 신화에서도 등장하는데, 원래 무지개 여신의 이름 '이리스(Iris)'에서 나온 말로 하늘의 신인 제우스와 땅의 신 헤라를 이어주는 무지개라는 뜻이다. 그 여신의 이름을 따서 아이리스의 꽃말 역시 '좋은 소식' 그리고 '사랑의 메신저'다. 옛날 하늘 신에게 아이리스라는 어여쁜 딸이 있었다. 그리스 최고의 여신 헤라는 아이리스를 예뻐해 자기의 시녀로 삼았는데 헤라의 바람둥이 남편 제우스가 아이리스에게 마음이 끌려 유혹하려 하자 영리한 아이리스는 제우스가 유혹하려 할 때마다 핑계를 대며 그 자리를 피했다. 헤라는 그런 아이리스가 더욱 사랑스러워 무지개를 그녀의 목걸이로 선물해 이 무지개로 다리를 놓아 하늘을 건널 수 있도록 했으며 향기로운 입김을 세 번 뿜어 축복해 주었다. 그때 입김에 서린 물방울이 땅에 떨어져 꽃창포가 되었다고 한다.

창포와 붓꽃은 우리나라에도 종류가 많다. 모두 붓꽃과로 여러해살이풀이며, 꽃은 5~6월 줄기 끝에서 2~3개의 청보라색 꽃으로 하루가 지나면 시든다. 붓꽃은 꽃이 피기 전 꽃봉오리 모습이 먹물을 머금은 붓과 같다 하여 붙여진 이름으로 아이리스, 동방에선 창포, 수창포, 창포붓꽃 등으로 불린다. 서양에서는 잎이 칼을 닮았다고 용감한 기사를 상징하는 꽃으로 알려진다. 붓꽃은 이집트 벽화에도 나오며, 프랑스의 국화는 붓꽃의 일종으로 루이 왕조가 문장으로 사용했다.

붓꽃의 서양 이름 '아이리스(Iris)'는 그리스인들이 '히아킨토스'라고 부르던 것으로, 그것은 두 가지 신화를 가진다. 하나는 히아킨토스의 피에서 생겨난 것이고, 다른 하나는 그리스의 전사 아약스의 피에서 자기 의지대로 솟아나온 것이다. 전설에 의하면, 트로이의 파리스 왕자가 아킬레스를 죽이고 난 뒤, 오딧세우스는 아킬레스의 무기를 걸고 벌인 승부에서 아약스를 이겼다. 그의 패배는 자신만만한 아약스를 절망의 구렁텅이로 몰아넣었다. 그는 한 무리의 양떼를 그리스의 적이라고 상상하고 모조리 살육한 다음, 스스로 목숨을 끊고 말았다. 그의 피로 젖은 대지에서 '히아킨토스'라는 꽃이 피어나고, 그 꽃잎에 '아이(AI)'라고 하는 비탄의 글자가 새겨져 있었다. 아이리스는 전설도 많다.

일반적으로 붓꽃류의 식물을 창포나 아이리스라고 부르기도 하는데, 단오날 머리 감는 창포와 붓꽃류는 전혀 다른 식물이며, 아이리스란 서양이름은 세계가 함께 부르는 붓꽃류를 총칭하는 속명이라고 한다.

민간에서는 뿌리줄기를 피부병, 인후염 등에 사용하며, 뿌리줄

기는 주독을 풀어주며, 폐렴과 피부병에 약효가 있다. 청색 염료
의 원액이며, 제비꽃과 비슷한 향이 나기 때문에 이탈리아의 피렌
체 지방에서는 향수의 원료로 쓰이기도 한다.

뒤늦게 만물이 서로 공존하며 모두 필요한 생명체임을 거듭 실
감한다. 사람은 만물의 전설 속에서 같은 삶을 산다. 꽃의 모양도
같은 것이 없듯 사람의 모습도 비슷하지만 다른 모습이다. 불가의
윤회설도 맞는 것이라면 이런 전설이 재미난 윤회설일 수 있을 것
같다.

그래서 식물에게 말을 걸기도 하고 구박하거나 귀하게 대하면
식물들도 그에 반응한다고 하는 학설이 재미있다. 사람과 말이 안
통하는 동물도 그들에게 약과 해가 되는 식물을 가려서 먹을 줄
알고 사람들에게 약이고 반려식물로 있으니 같은 삶을 살고 있다
는 말이 맞다.

자연은 모두 공존하며 같이 호흡하고 지금 꽃들의 품종도 과일
처럼 개량 품종을 만들어 원래 모습이 없어질까 걱정스럽다. 다
행히 풀꽃들은 선택되지 못하여 잡풀처럼 뽑혀 멸종되도 생명력
은 길고 이름 없는 꽃들도 많아 모두가 귀하다. 꽃보다 00, 라는
제목도 있지만 세상엔 꽃보다도 못한 사람이 많다. '마지막 잎새'
의 나뭇잎처럼 위로의 대상도 되고, 경조사나 중요한 행사에 꽃다
발이나 화초는 빠뜨릴 수 없는 부속물이다. 세상에 쉬운 일 없다

고 꽃 그림도 세밀하게 그리면 저마다 잎맥과 꽃술과 꽃차례, 꽃잎의 주름까지— 인물화도 그 사람 마음을 느껴야 하고 식물도 투정하진 않아도 같은 모양 없으니 신비하고 어렵다. 각기 전설이 있고 꽃말을 알고 이름에도 이유가 있어 하나하나 그리며 내가 꽃이 된 듯 그 속에 빠져든다.

차풀 이야기

우리나라 야생초는 재미난 이름이 많다. '차풀' 이름 들어 보셨나요? 콩과에 속하지만 콩은 아니고 비슷한 모양의 씨를 맺고 장미목이면서 장미꽃과는 다르다. 작은 노란 꽃과 잎은 말려서 차로 끓여 마시기도 하여 차풀이다.

풀밭, 냇가 양지 강가나 산지에 나는 한해살이풀. 높이 30~60cm 자라는 1년초로 줄기는 곧게 서며 가지가 갈라지고 안으로 굽고 짧은 털이 있다. 잎은 새 깃 모양으로 갈라져 어긋나게 달리는 잎은 15~30쌍의 작은 잎이 달린다. 작은 잎은 선상 타원형으로 가장자리에 다소 털이 덮여 탁엽은 피침형으로 끝이 뾰족하다.

열매 안에 흑색의 윤채가 나는 종자가 들어 있어 개화 전초를 약용하고, 차를 끓여 마신다.

차풀과 닮은 자귀풀이 있다. 차풀은 노란 꽃이 피고 자귀풀은 연노란색과 자줏빛 꽃이 핀다. '자귀풀'에 비해 소엽 수가 많으며 열매에 마디가 없는 것도 다르다. 차풀은 차나무가 귀하던 우리나라에서 차 대신 사용해 유래된 이름이며 자귀풀도 차를 만든다. 자귀풀은 밤에 스스로 잎을 접는 데서 나온 이름이나, 차풀 역시 같은 모양의 잎을 달고 있으며 밤에 접는다. 이 두 식물에서 눈에 띄는 차이는 자귀풀이 키가 약간 크고, 줄기 속이 비어있고 마디가 있다.

한국 원산인 일년생 초본으로 우리나라 전국 각지 산과 들의 습기 있는 곳에서 야생한다. 국외 일본, 만주, 중국 등지에 분포하여 동양의 산야초이다. 그리고 이뇨, 해열, 지사, 수종 등 약효까지도 비슷하다. 간을 보호하며 눈을 밝게 하고 암세포를 죽이고 황달, 가래, 어혈 위를 튼튼하게 해준다. 알고 보니 좋은 약초이나 지나치면 설사를 일으키고 임산부도 많이 먹으면 유산을 할 수 있단다.

차풀은 요긴한 쓰임새나 잎을 가지런히 모으고 있는 모습이 참하다고 하여 '며느리감풀'이라는 좋은 별칭이 있고 이북에서 그리 불린다. 제주 방언으로 자굴이라고 한다. 차풀은 자귀풀보다 구하기 쉬워 많이 쓰인 까닭에 이런 별명이 붙은 듯하다.

식물도 저마다 모습이 있다. 꽃말은 연인이지만 이 꽃에 대한 전설은 '며느리감 나무'란 별칭에 대한 것이다. 어느 시어머니는 지독하기로 소문난 할멈으로 얼마나 며느리를 구박하고 못살게 굴어 며느리가 죽어 무덤에 풀이 무성하게 솟았고 며느리의 한인지 키만 장대같이 크고 열매는 열리지 않았다.

실제 이 '며느리감 나무' 풀의 키는 그리 크지 않고 무릎 높이로 산야에 가득한데 이파리만 무성하고 열매는 콩과 모양이나 납작하다. 이 이야기가 언제 생겼는지 산과 들에 퍼져있는 차를 먹을 수 있는 차풀을 베어 말리는 풍경에서 지금은 젊은이들이 많이 빠져나간 농지 농가의 모습이다. 여름철 뜨거운 날 나이든 부모 밑에 일할 수밖에 없는 농사짓던 아낙네, 옛 며느리의 굵은 손마디가 부지런히 움직이고 까맣게 탄 얼굴이랑 손에 삶의 진실이 새 깃 모양의 잎들에 담겨 아른아른하다. 지금도 농촌 모습에선 간혹 주름진 여인들의 고된 모습이 보이긴 하지만 전설 같은 며느리는 없을 것 같다. 오히려 그 반대로 그나마 남겨진 개발 안 된 산야 한쪽일망정 도시에 사는 자식들을 챙겨주기 위해 부지런히 움직이는 손은 부모들의 모습일 것이다.

이제는 이야기를 다시 써야 한다. '며느리감 나무'가 아닌 '시어머니 나무'로 며느리에 구박당해 충격으로 쓰러져 하늘나라로 갔으나 자식에게 못다 준 사랑 한이 되어 차풀로 솟아 가녀린 모습의 새 깃 모양의 잎으로 무성하게 퍼져있다. 그 잎은 간을 보호하며 눈을 밝게 하고 암세포를 죽이고 등 몸에 좋다니 오히려 어머니의 사랑과 맞는다. 며느리도 딸이고 어머니의 희생 어린 사랑은 인정하면서 '시'가 붙으면 서로가 모진 관계로 무엇이 사이를 갈라 놓았을까? 팔은 안으로 굽는다 해도 질투로 '한곳에 두 여자를 놓으면 날씨가 차가워진다' —세익스피어— 도 명작 속에서 말한다.

올해는 붉은 닭의 해 정유년인데 새벽에 울어대는 부지런함은 배울 만하다. 그건 수탉이 우니까 '암탉이 울면 집안이 망한다'며 여인을 닭에 비유도 하고 '암탉이 수탉보다 더 소리 높여 우는 것은 불길하다'는 영국속담은 '여자의 목소리가 담을 넘으면 안 좋다'는 우리 속담과도 비슷하다. '악마가 힘이 붙으면 여자를 심부름꾼으로 보낸다'는 러시아 속담, '거북은 몰래 수천 개의 알을 낳지만 암탉이 알을 하나 낳을 때면 온 동네가 다 안다'는 말레이시아 속담도 재미있다. 가족관계로 연이어 '형제는 수족과 같고 여편네는 의복과 같다.' '인연 없는 부부는 원수보다 더하다.' '초혼은 의무, 재혼은 바보, 세 번째 결혼은 미치광이다' —네덜란드— '계집 둘 가진 놈의 창자는 호랑이도 안 먹는다.' '겉보리를 껍질 채 먹은

들 시앗이야 한 집에 살랴', '남편 시앗은 하나도 많고 아들 시앗은 열도 적다.' '열 시앗 밉지 않고 한 시누이가 밉다.' '노화를 재촉하는 네 가지 원인은 공포, 분노, 아이들, 악처'라는 탈무드의 명언처럼 가화만사성인데 인간사의 기초된 여인은 국제적 문젯거리다. '천하를 지배하는 건 남자지만 그 남자를 지배하는 건 여자다'란 농담도 있다.

창조주는 모든 만물을 창조하고 만물의 영장이 되라고 했는데 어찌하여 이브는 뱀의 꼬임에 넘어가 아담을 범죄하게 하고 이 세상을 이 지경으로 인간관계를 넘어 만물까지 미움의 대상으로 이용하게 되었을까?

향기는 없지만 몸에 좋다는 차풀로 된 차를 마시며 인간사에 대해 '암탉, 병아리, 알 중 어느것이 먼저냐,' 엉켜진 실타래처럼 해결은 쉽지 않아 씹히지 않는 물만 꼭꼭 씹어본다.

생강나무

수줍음의 매혹

우리나라 풀과 나무는 우리 대로 이름을 붙여선지 재미있다. 생강나무는 납매蠟梅·새앙나무·생나무·아위나무라고도 한다. 식용 생강이 아닌 잎이나 줄기를 꺾으면 생강 냄새가 난다고 붙여진 이름이다.

지방에 따라 동백나무라고도 부르는데 동백나무가 없던 지역에서 생강나무 기름을 짜 머릿기름으로 사용해 생긴 이름이다. 우리나라에 생강이 들어오기 전에 이 나무껍질과 잎을 말려 가루를 내어 양념이나 향료로 썼다고 한다. 전국 각지 분포되고 산기슭 양지, 숲속의 냇가에 씨로 번식되어 저절로 자라는 나무다. 피지 않은 꽃차를 덖음차로 마시면 처음엔 구수하고 단맛 나며 뒷맛이 맵지만 개운하다.

전국 산기슭 양지바른 곳에 자라는 낙엽 떨기나무로서 중국, 일본에도 분포한다.

3~4월 야산 숲길 겨우내 여기저기 뻗어 침묵하던 나뭇가지에 잎이 나오기 전 노란색 꽃이 다투어 핀다. 언뜻 보면 비슷한 삐죽삐죽한 산수유꽃과는 조금 다르다. 생강나무는 암꽃과 수꽃의 단성화가 서로 다른 개체에 달리는 암수딴몸의 특징을 지니는 반면 산수유는 암술과 수술이 한 꽃에 달리는 양성화를 갖는다. 꽃은 향기가 좋아 생화로 쓴다.

꽃이 한창 무성하고 질 때쯤 독특한 파란 잎이 피어난다. 잎은 어긋나며 길이 5~15cm, 나비 4~13cm의 달걀꼴 또는 달걀 모양 원형으로 위쪽의 가장자리가 대개 3~5갈래로 얕게 갈라진다. 꽃이 지고 돋아나는 연한 새싹은 또 다른 귀한 쓰임새가 있다.

어린싹은 작설차雀舌茶라 하여 어린잎이 참새 혓바닥만큼 자랐을 때 따서 말렸다가 차로 마신다. 또 연한 잎을 따서 음지에서 말린 뒤 찹쌀가루를 묻혀 기름에 튀기면 맛있는 부각이 된다. 차나무가 자라지 않는 추운 지방에서는 차 대용으로 사랑을 받았다. 차茶문화가 사치스런 일반 사람들은 향긋한 생강 냄새가 일품인 산나물로 즐거왔다.

조용히 귀 기울여 녹아 흐르는 시냇가 물 소리 끝에 동의나물이
노랗고 아름다운 꽃망울을 터뜨린다. 가장 늦게 봄을 맞는 산속에
꽃말이 수줍음 사랑의 고백 매혹처럼 작은키나무 낙엽송 생강나
무가 노란 꽃을 피워 봄이 시작되었다는 첫 신호를 함께 사는 산
속의 이웃에게 알린다. 도시가 이미 온통 꽃잔치로 절정을 이루고
숲 속의 봄은 아주 천천히 찾아와 모처럼 봄꽃 산행을 떠난 이들
에게 실망감을 줄 때 어느 산에서나 노란 꽃을 먼저 피워 그 발길
을 위로하는 생강나무다. 많은 사람들은 숲 속에서 노란 꽃을 만
나면 생강나무 아닌 외래식물인 층층나뭇과의 산수유라고 부른
다. 생강나무는 마른 가지에 잎도 없이 노란색 꽃은 같으나 잎자
루 없이 달리는 꽃으로 산수유꽃과 구별된다.

생강나무의 잎은 매우 독특하게 생겨서, 잎을 보면 쉽게 구분된
다. 생강나무의 잎은 산수유 잎보다 크다. 꽃이 지고 나서 피는 손
바닥만 한 생강나무 잎의 모양은 그 향기만큼이나 독특하다. 잎
의 맥은 크게 세 개로 갈라지고 갈라진 맥을 중심으로 잎의 윗부
분이 크고 둥글게 세 개로 갈라져 마치 부드러운 산봉우리를 보는
듯하다. 생강나무의 잎은 어긋나기로 달리나 산수유의 잎은 마주
나기로 달리며 꽃이 없고 잎만 있는 경우 쉽게 구분된다. 잎이나
줄기에 상처가 나고 잎에서도 생강 냄새가 난다. 요즘 간혹 민트향

이 묻어 나는 이쑤시개를 볼 수 있는데 혹 생강나무를 이용하는 옛 어른들에게서 힌트를 얻은 것은 아닐까?

산수유는 마을 근처에 누가 심어야 볼 수 있는 나무로 자란다. 생강나무는 숲 속에서 강인한 생명력으로 돌보아 주는 이 없이 혼자 살아가는 자생식물 나무이다.

9월 가을이면 산수유 열매는 먹음직스럽게 빨갛고 길쭉하고 생강나무 열매는 조그맣고 동글동글 검정색으로 이 열매에서 기름을 짠다. 이 기름으로 옛날 멋쟁이 여인들은 머릿결을 다듬었으며, 밤을 밝히는 등잔불의 기름으로도 사용하였다. 남쪽에서 만나는 진짜 동백기름은 양반네 귀부인들의 전유물이고, 서민의 아낙들은 주위에서 흔히 자라는 생강나무 기름을 애용했다. 머릿기름의 대명사인 '동백기름'을 짤 수 있는 나무라 하여, 강원도 지방에서는 아예 동백나무(동박나무)라고 한다. 춘천 태생 개화기 소설가 김유정의 단편 『동백꽃』은 알싸한 냄새가 나고 노란 꽃이라고 했으니 사실 생강나무꽃인 것 같다.

여기선 생강나무가 주제이나 산수유 나무도 열매와 씨는 말려 약으로 쓴다. 어린 꽃차나 열매를 말려 차를 만든다. 꽃말은 지속, 불변, 영원한 사랑이어서 겨울이 다 가도록 매달려 있는 것을 보기도 한다. 이런 것을 알아서 사용한 사람도 참 지혜롭다.

우리 주위에 있는 나무와 풀도 하나도 버릴 것이 없다. 모두 사람들과 동물들을 위해 존재하는 것들로 요샌 반려동물, 반려식물이다. 이 아름다운 세상에서 사람들은 너무 편해서 서로 갑질하고 주어진 것도 제대로 활용 못 하고 풍요를 누리지 못하는 것 같다. 그래서 나이 들면 귀향이든지 자연으로 돌아가 생활하는 삶을 선호하나 보다.

백합-카사블랑카
순결하고 고귀한 삶

카사블랑카! 우연히 눈에 띈 순백의 백합과, 백합의 여왕, 가장 고귀한 백합으로 네덜란드에서 태어나 1984년에 데뷔했다. 5월 길게 줄기를 올려 6월에 5, 6개 송이로 향기가 진하며 긴 꽃잎 중앙에 보송보송 돌기가 돋보이는 새하얀 송이가 화려하다.

에덴동산의 아담과 이브가 금단의 열매를 따먹고 쫓겨나 세상의 괴로움을 알게 되면서 이브가 흘린 눈물이 땅에 떨어져 하얀 나리가 되었다는 전설이 있는 백합은 그리스도교에서는 '성모의 꽃'

이라 상징하며 부활절에 빼놓을 수 없는 꽃이다.

충칭한 백합과의 꽃말은 순결, 탄생, 위엄, 귀중, 현자이다.

프랑크왕 크로비스가 496년에 300명의 가신을 동반해 개종했을 때, 성모 마리아가 백합을 주었다고 한 곳으로부터 성모 마리아의 상징이 된다. 백합은 프랑스 왕가의 대표적 문장에 있는 꽃이며 고귀한 모습이다.

백합과 오리엔탈계의 백합 중 가장 인기 있는 카사블랑카는 또다른 전설이 있다. 독일 하르츠 산촌에 아리스라는 소박한 아가씨는 어머니와 단둘이 넉넉지 않았으나 행복하게 살았는데 어느날 밭에서 일을 하다가 승마하러 나온 성주의 눈에 띄었다. 포악한 성주는 성에 가서 같이 살자고 했으나 거절했다. 포악한 성주가 마을의 예쁜 처녀를 모조리 노리갯감으로 삼는 것을 아는 모친은 딸과 도망쳐 산허리에 있는 사원으로 숨었다. 성주는 사원까지 쫓아가 문을 부수고 그녀를 말에 태워 성문에 이르러 울음을 그치자 안도하며 말에서 내려 주었다. 발이 닿은 순간 아리스가 생긋 웃으며 그녀의 모습은 사라지고 그 자리에 두 개의 하얀 백합이 피었다. 그 뒤로 성주는 마을 처녀를 건드리지 않고 하얀 백합을 소중히 키우게 되었다고 한다.

카사블랑카 백합 탄생에도 미국의 통치하에 있던 일본(입의 섬)

고유의 야생 백합인 타모트유리의 슬픈 이야기가 있다. 그 아름다움으로 구미의 원예업자가 주목하여 난굴되어 멸종하였다가 바다를 건너 원예 백합의 모습이 바뀌어졌다. 구미에 건너간 타모트유리는 원예 품종의 개량으로 카노코유리와 산나리의 교배종에 걸쳐 합쳐져 카사블랑카가 탄생했다. 또 한편은 카노코유리에 걸쳐 합쳐져 오와의 스타게이자로 다시 태어났다. 백합은 원래 중국의 이름이고 우리나라에서는 나리꽃이라고 부르는데 흔히 나리하면 유색 백합만을 연상하는 경우가 많지만 나리는 백합에 대한 우리말로써 모든 백합을 총칭한 말이다. 그 중에서 나팔나리는 우리가 흔히 말하는 나팔 모양의 흰 백합을 가리키는 것으로 백합 중의 백합이며 순백의 깨끗함 그 자체가 '순결'이라는 꽃말과 가장 잘 어울리는 꽃이다. 순백의 순결한 모습인데 찐한 향기로 많은 벌과 개미를 모으는 카사블랑카—

귀중해 보이지 않는 식물계에도 열정 있는 웅대한 사랑이 필요하다. 창조주 하나님은 모든 만물을 만든 마지막 날 인간을 닮게 지으시고 심히 기뻐하셨다고 하였다. 모든 만물을 다스리는 권능 속에 사람이 살아가는데 가장 원동력은 진실이 담긴 웅대한 사랑이다. 총칭하는 인간관계에서 한편으론 '당신을 진정으로 사랑했기에 떠나 보내겠습니다'의 여운은 백합 카사블랑카의 찐한 향기 되어 안타깝다.

제주 백양꽃

고향 찾는 상사화

집앞 작은 공원을 거닐다 길가 한구석 유난히 꽃줄기가 무성한 붉노랑상사화가 눈에 띈다. 이른 봄 수선화 잎처럼 가는 잎들이 풀처럼 무성하다가 여름 되면 시들고 말라 초가을에 다른 잎들이 늘어질 무렵 꽃대가 길게 올라와 약간 쭈글쭈글한 황금빛 꽃이 5, 6송이 사방화 우산 모양으로 핀다.

선운사에 진한 붉은색 상사화와 달라 저런 것도 있나보다 했다.

우리나라 특산식물에 속하며 달래 꽃무릇이라고 알려지고 상사화 相思花란 이름을 얻었다. 상사화는 잎과 줄기가 영원히 만나지 못하고 꽃이 피어 상사화라고 한다.

전래되는 두 가지 전설이 있다. 하나는 스님을 사랑한 인도 귀족 여인의 슬픈 사연— 헤어지며 알뿌리 꽃씨를 주었는데 스님은 알뿌리를 심고 기다리다 꽃은 보지 못하고 세상 떠난 후 붉게 피었다고 한다. 또 하나는 반대로 불공을 드리러 온 여인을 향한 스님의 애틋한 사랑을 표현한 꽃이란다. 잎은 꽃을 보지 못하고 씨는 맺으나 번식은 알뿌리로 퍼진다고 한다. 이 꽃은 결국 이루어질 수 없는 스님의 사랑이어선지 사찰에 많이 퍼져있다. 목련이나 개나리는 꽃이 먼저 피고 질 무렵 잎이 나니 정반대다. 어느 것이 더 애절할까? 상사화의 꽃말은 '이룰 수 없는 사랑'이다. 그런 연유가 있어선지 상사화는 집 정원에 심지 않는다고 한다.

내 제2고향 제주도에서 백양꽃(제주도 상사화 이름) —꽃잎 색은 주황색 상사화를 보았다. 제주 상사화라 이름만 바뀐, 잎이 시들어가고 꽃대가 쑤욱 올라온 것이 조금 있으면 꽃을 피울 것 같은데 꽃을 만나지 못하고 왔다. 뒤에 다시 친구들과 가서야 만나 반가웠다. 꽃들은 전설처럼 애잔한 마음이 든다. 치매예방도 된다고 해서 세밀화로 꽃 그림 그리며 자연을 벗 삼아 지난다. 꽃꽂이를 하며 조화꽃을 만들며 섬세한 그 모습에 반하고 숲해설을 배워 전설과 재미있는 얘기까지 배워 자연이 더욱 소중해진다. 어린 시절 어머니가 꽃이름을 알려 주셨고 그런 환경에서 자라 지금도 많은 이야기를 나눈다.

농촌의 어머니들이 그러하듯 어머니도 땅만 보이면 밀짚모자 쓰고 깻잎, 상추, 옥수수, 고추, 호박, 하다못해 박씨까지 뿌리느라 분주하셨다. 부모님이 돌아가시니 아버지 어머니를 부를 수 없는 게 마치 돌아갈 고향이 없는 것처럼 허전하다.

어디로 갈거나, 부모님에게 생전에 사랑한다는 말 한마디 제대로 못하고 이제야 그 길을 따라가며 할미꽃 되어 상사화를 반긴다. 부모님 다 가신 후 쑥 올라온 꽃대로 꽃을 피운다 한들 누가 내 마음을 알아줄 것인가 고향이 그리워도 못 가시고 어머니가 어머니를 그리워한 것처럼 나도 한송이 상사화인가.

한국의 전설은 상사화가 스님의 마음이 피워낸 꽃이라고 한 반면 중국의 전설은 비련의 주인공이 스님에서 처자로 바뀐다.

애지중지 외동딸을 키우던 약초 캐는 사람이 있었다. 그는 먼 조선 땅에 먹으면 장생불사한다는 불로초가 있다는 소문을 듣고 조선으로 갔다. 그는 불로초를 찾지 못하고 죽었다. 외동딸은 아버지가 "내가 무슨 일이 있어 돌아오지 못하면 네가 불로초를 찾으라"는 유언에 따라 조선으로 떠났다.

외동딸은 조선의 어느 절에서 스님을 만나 '불로초보다는 도를 깨치는 것이 영원히 사는 것'이라는 가르침을 받고 작은 암자에 머물러 도를 닦게 됐다.

　어느 날 큰절에 갔다가 젊은 스님을 보고 그만 마음을 빼앗겨 처녀는 용기 내서 스님께 사랑을 고백했으나 '불자의 몸으로 여인의 사랑을 받아들일 수 없다'는 말만 듣게 됐다. 아버지의 유언도 이루지 못하고 사랑까지 거절당한 충격으로 외동딸은 죽고 말았다.

곰취

봄이 오는 소리

사계절처럼 꼭 같은 날 아니라도 부지런히 옷 갈아입고 마음도 달라져 가야 하는데… 점점 계절도 잊고 불감증인지 입맛 당기는 음식 없어진 그 나이에 있다.

봄이 온줄 모르고 나른한 기운에 옷차림부터 가벼워졌다. 파릇파릇 새순이 돋기도 전에 언제부터인지 사계절 나물과 과일이 가득하다. 향긋한 봄나물도 물론이다. 달래, 냉이, 두

릅, 곰취, 쑥…. 그중 봄나물의 제왕이라는 곰취가 있다. 초봄 어린잎을 고기와 싸먹으면 그 알싸함과 봄의 풍취까지 느낄 수 있는 나물이다. 가끔 비닐하우스에서 자란 일정한 곰취는 향도 덜하고 맛도 별로라고 한다. 곰취는 웅소熊蔬라고 하며 겨울잠에서 깨어난 허기진 곰이 곰취를 뜯어먹고 기운을 차린다고 그 이름이 붙어 '보물' '슬기로운 여인'이라는 꽃말이 제격이다. 어머니도 봄 타는 식구를 위해 철마다 제철 음식을 준비하신 일이 기억난다.

　곰취는 어린잎은 식용할 수 있어 나른한 봄철 잃어버린 입맛을 돋우고 춘곤증 등 피로회복에 춘궁기의 구황식물로 이용하였다. 금방 딴 것을 쌈으로 싸먹어도 입안의 향기가 오래 남아 맛을 즐길 수 있고 잎이 조금 억센 것은 끓는 물에 살짝 데쳐 쌈으로 먹거나 초고추장에 찍어 먹어도 일품이다. 쌈으로 먹을 때 곰취를 삶아 물에 담가 우려 짠 후 참기름과 다진 마늘을 넣고 오래 볶아 차곡차곡 큰 그릇에 펴 담는다. 먹을 때는 넓은 취 잎을 펴서 밥과 고추장을 놓아 싸 먹는다. 잎은 삶아도 향기가 없어지지 않아 물기만 제거해 냉동실에 보관했다가 먹어도 괜찮다. 또 어린 곰취를 삶아 물에 불려 쓴맛을 뺀 뒤 꼭 짜서 참기름을 넉넉히 둘러 볶다가 간장, 파, 마늘, 깨소금으로 간을 맞추어 볶아 나물을 만든다. 톡 쏘는 맛이 아닌 부드럽게 쌉싸름한 맛과 은은하게 풍기는 상큼한 향이 매력이다. 말려서 묵나물로 만들기도 하는데 향기와 맛이 좋다.

비가 많이 오면 곰취 잎이 너무 커져 간장이나 된장에 넣어 장아찌로 담기도 한다. 곰취를 끓는 간장물에 넣었다가 바로 꺼내서 통에 담는다. 미지근하게 식은 간장물을 부어 곰취장아찌를 부드럽게 담근다. 예전 정월 대보름날에는 복쌈이라 해서 김과 곰취 잎에 밥을 싸서 먹는 풍습도 전해지는데, 19세기말 만들어진 『시의전서是議全書』라는 요리책에 곰취 쌈에 대한 내용이 등장하는 걸 보면 오래전부터 곰취를 식용한 것을 알 수 있다. 뿌리줄기와 잔뿌리는 약용으로 진통, 보양제로 쓴다.

중국에서는 뿌리를 상처 난 곳에 발라, 허리가 아프거나 기침을 다스리는 데 쓴다. 베타카로틴과 비타민C가 풍부하게 함유되어 항산화 및 항암효과가 있고, 육류를 구울 때 생성되는 발암원 물질이나 담배를 태울 때 생성되는 벤조피린 등 발암물질의 활성을 60~80% 정도 강하게 억제하는 효과가 있다. 혈액순환을 활발하게 해주고 기침, 백일해, 천식, 황달, 고혈압, 관절염, 간염에도 효능이 좋다고 한다. 식이섬유 및 각종 비타민 성분, 무기질도 풍부하여 만성피로를 풀어 준다. 꽃말이 '보물'에 맞게 그 쓰임새가 다양하다.

10월경 열리는 종자를 바로 화단에 뿌리거나, 이른 봄 포기나누기를 하지만 포기나누기는 번식률이 낮아 종자 번식을 많이 한다. 보통 '취'라는 글자가 뒤에 붙은 참취과의 유사한 국화과 식물들을 모두 합쳐 취나물이라고 부르며 나물로 먹고 약용으로 쓸 수 있고 향기가 있는 흔히 국화꽃으로 즐기기도 한다. 유독 곰취만은 제 이름을 부른다. 겨울잠에서 깨어난 곰이 가장 먼저 찾는 나물이고 잎이 말발굽과 비슷해서 마제엽馬蹄葉이라고도 하고 곰달래, 왕곰취, 곤대슬이 등 지역마다 달리 불린다.

한때 우리나라 전역에 분포했지만 지금은 많은 훼손으로 산에서도 찾기 귀한 나물로 자생지 보호가 절실한 식물군 중 하나다. 웰빙 제철 나물을 찾는 사람과 자연환경 이유 때문인지 곰취뿐 아니라 산나물도 거의 사라져 자연산이란 말을 무색하게 만든다.

대대로 자연의 이런 것들을 어떻게 발견하고 활용할 수 있었는지 아직 보존을 위해 애쓰는 사람이 있고 자연의 모든 것들이 사람을 위해서 제 할 일을 다한다. 누룩에 의한 고유한 간장, 된장 고추장 담그기와 자연환경이 막히니 인위적 친환경으로 영양도 맛도 거의 파괴된 채로 음식의 중요성도 관심 밖이다. 건강에 이상이 생기면 약으로 치료가 되는 줄 알고 병원은 만원이고 병명도 모르고 완전치료도 못한 채 평생을 들락날락이다. 웰빙 자연산을 찾듯 약초를 찾는 한의학이나 중의학의 연구도 활발하다. 자연의 신비만큼 사람의 몸은 더 신비한 세계여서 건드려지는 것이 더 문제를 만드는 생각도 든다.

예전엔 새 달력 걸고 새봄이 오면 새날이 오는 것 같아 새로운 마음을 다짐해 보는데 새로운 것이 무엇이고 시작을 어떻게 해야 하는지 점점 난해하다. 주변에 있는 식물도 하찮게 여겨 편한 것만 찾아 익숙한 것만 가까이하고 낯선 것은 피하면서도 몸의 변화를 느끼면 새로운 것을 찾는다. 자연과 기후는 우리가 생활하는데 밀접한 동행의 여행을 한다. 여행은 도착한 것이 아니고 계속 진행되고 있는 도전의 과정이다. 사계절 과일 분류나 식물 시험문제는 이제 우스꽝스러워져 점점 봄이 오는 소리와 아지랑이는 듣지도 보지도 제맛을 알지도 못할 것 같다. 한 해를 시작하는 봄, 자연산 곰취쌈에 삼겹살 한 점 얹어 새봄의 맛을 찾아볼까.

해바라기

해바라기 사랑

선플라워라는 영명의 해바라기 꽃말은 '당신을 사랑합니다'이다. 그 외 '숭배, 존경하고 사모함, 기다림, 당신을 바라보고 있어요'라는 의미가 있다.

북아메리카 원산지로 강렬한 태양의 모습인 여름 이미지가 강하다. 콜럼버스가 아메리카대륙을 발견하며 유럽에 알려져 태양의 꽃, 황금꽃이라고 불린다. 양지바른 곳에서 잘 자라며 8, 9월에 개화해 이름처럼 해만 바라고 있어 한 사람만 본다는 의미가 될까?

품종개량으로 종류도 꽃의 색상도 고흐의 그림처럼 강한 노란색이고 종류가 다양하다. 가을엔 꽃씨를 즐겨 요즘 각종 성인병에도 좋다고 건강식품의 귀한 재료가 된다.

외화 '해바라기'에서도 그 꽃을 닮은 여주인공이 부각되고 이 꽃은 못 이룬 애틋한 전설이 있다. 두 요정은 태양의 신 아폴로의 눈부신 빛에 매혹되고 연모해 태양의 신을 차지하려 싸우고 이간질하다 한 명은 규율을 어긴 죄로 죄수가 되고 한 명은 태양의 신에게 들켜 사랑을 구하다 못 이루고 해바라기가 되었다. 전설은 못 이룬 안타까운 사랑이나 좋아하는 사람이 있다면 해바라기로 자신의 마음을 표현하면 좋을 것 같다.

필요한 사랑이지만 사랑은 움직이는 거라고 점점 맹목적 필요에 따라 찾게 되는 사랑이라 본질 찾기 힘들다. 젊은이들이 사랑을 고백하는 밸런타인데이도 그날이 우리나라에서 일제에 항거한 독립의사의 서거 일인데 일본이 일부러 그런 날로 바꾸었다고 비난이 작용하나 세상 살아가는 원동력은 사랑뿐이다.

종교인 아니라도 무조건적 사랑은 모든 허다한 죄를 덮을 수 있으나 사람들간 사랑은 상호적인 것이라 해바라기처럼 짝사랑은 희생과 상처가 남는다. 진정한 사랑은 주되 받을 계산 않는 것이다.

사랑은 정말 숭고한 일인데 삶의 기초지만 어렵다. 성경에도 원수를 사랑하라는 말, "내가 천사의 말을 할지라도 사랑이 없으면 소리 나는 구리와 울리는 꽹과리가 되고 내가 예언하는 능력 있어 모든 비밀과 모든 지식을 알고 또 산을 옮길 만한 모든 믿음이 있을지라도 사랑이 없으면 내가 아무것도 아니요, 내가 내게 있는 모든 것으로 구제하고 또 내 몸을 불사르게 내줄지라도 사랑이 없으며 내게 아무 유익이 없느니라, 모든 것을 참으며 믿으며 바라며 모든 것을 견디느니라" 알고 있어도 지키기 어려운 명언이다.

하나님과 성인聖人들 빼고 온전한 사랑 할 수 있을까? 이성 간의 사랑은 이해하고 서로 통하지 않으면 상처 입을까 고백 못 하고 부모에겐 사랑한다는 말을 해도 될 텐데 진심이 담긴 그 말 한마디가 쉽지 않다. 열 손가락 깨물어 안 아픈 손가락 없어 내리사랑은 당연한 일이고 형제자매 사이는 왜 투닥거리게 되는지 모두 가신 후에야 가슴 속 남아있는 못다 한 한마디가 메아리가 된다.

#2 가을의 속삭임

CCC

ksy

가장 중요한 날은 오늘
지나가는 무심한 발길에도 아랑곳없이 오뚜기처럼
새로운 의미로 다가선다

따오기 소리

처음 만나는 모임이 시작될 때 항상 자신을 소개하며 인사하게 한다. 외국인은 잘 되어있는데 우리나라 사람들은 대개 주춤주춤한다. 요즘 아이들이나 젊은이들은 대범하리만큼 용감히 자신을 보인다. 나도 젊은 시절 멋모르고 나섰는데 언제부터인가 시대와 환경의 변화에 따라 왠지 점점 자신이 없어진다. 더구나 이름 소개할 때는 한 번에 내 이름을 얘기하지 못하고 꼭 다시 되물어 한 자, 한 자를 똑똑히 발음하여 모두 내게 주목하게 한다.

우리 집은 일찍 남녀 평등을 시작했는지 이름 끝 자 돌림자를 그대로 적용해 한문도 획 많은 어려운 글자인 여자 이름으로 강한 이름이라 소개할 때마다 일어나는 일이다. 좋다는 사람도 있고 한자로 풀이할 땐 뜻이 있어 나쁘진 않다.

글씨로 쓸 땐 반드시 성별을 구분한다. 꼭 규정된 건 아닌 남녀의 이름이 어울리도록 된 이름 덕분에 단체 활동 때 안면 없이 숙소 배정이 되면 항상 뒤바뀌는 해프닝을 겪는다. 가끔 수줍기보다 씩씩하고 활달한 면을 드러낸다.

중 1학년 미술시간 기초 데생 배운 후 첫 단계로 자신의 자화상을 그리게 했다. 단정하게 귀보다 짧은 단발머리를 한 나는 마른 모습이다. 거울 보며 열심히 그린 얼굴은 모딜리아니처럼 유난히도 목이 긴 말라깽이가 되었다. 별명도 'KBS'이고, 그땐 기성품 옷을 사면 지금처럼 다양하지 않아 스커트나 바지는 허리가 커서 꼭 벨트를 매고 다행히 어머니 바느질 솜씨로 어려서부터 맞춤복을 입는 행운은 얻었다. 맏이가 된 둘째 언니와 10년 이상 차이로 언니 옷을 대물림하면 치마 길이 등 유행이 다르다. 덕분에 커가면서 어머니 도움으로 그 옷을 내 몸에 맞게 수선하는 기술도 터득해 개성을 살리게 되었다.

전쟁 이후로 1남 2녀만 남고 형제 중 끝이라 막내라면 귀엽게 자랐겠다고 하는데 나는 심부름꾼이고 구박둥이다. 큰오빠 생일 전날 태어나 큰오빠에겐 그리 반가운 동생이 아닌 듯 납치까지 당해 생사를 모르니 자라면서 나에게 모든 걸 다 맡기고 갔나보다는 부담감을 가졌다. 원적은 황해도지만 서울에서 태어나 사회 환경이 전쟁이고 어머니는 아기인 나를 업고 우리 어린 4남매(그땐 둘째 오빠가 있었다)와 외삼촌 형제 3식구가 해군 군함으로 제주도에 피난 갔다. 휴전되자 언니 오빠는 학교 때문에 먼저 서울 왔고 나는 5살 때 인천항에 오면서 서울에 살다가 마중나온 아빠에게 가라고 하니 처음 보면서도 팔 벌리고 찾아가더란다. 서울 와서 첫돌처럼 생일 차려주었다고 하신다.

요즘은 미운 세 살이 되나 그때에도 5살이 어린 나이라고 해도 아동발달 학자들의 말은 그때 이미 언어와 사회적 인지가 발달해 있다고 한다. 그래선가, 사투리 억양이 남았는지 조금 느리고, 성장해 고향이 서울이라 해도 느린 지역으로 생각한다. 언니 오빠는 그래서 어정쩡한 내 모양이 재미있어 많이도 놀리고 울리기도 했다. 또 가끔은 산에 고사리 따고 일하러 간 엄마를 기다리느라 혼자 있는 시간이 많아 버릇처럼 혼자 생각하며 책을 읽고 책상에는 잘 앉아 공부는 안 해도 무엇인가를 열심히 만들고 그리기를 좋아한다. 한창일 때 나다니기 바빴고 엄마처럼 움직일 수 있는 한 무언가를 해보려고 하지만 지금은 혼자의 시간이 언제부터인가 많아진 것 같다.

어머니는 될 수 있으면 자식들, 특히 딸들 손이 미워질까 일을 시키지 않으려 누굴 시키면 답답해 모든 일을 손수 하셨다. 누구나 꿈 많은 어린 시절이라는데 뚜렷한 꿈이 없는 편이다.

6·25로 직장 잃은 아버지가 개인 사업에 손을 대었다가 실패하자 나는 의식 없이 그럭저럭 지냈다 해도 어머니는 고생을 많이 하셨다. 지금 나이 들어 내가 그때 나이 엄마와 비교하면 하염없

이 눈물만 흐른다. 옛시조에 "돌아와 반길 이 없으니 그를 서러워 하노라" 효도하려고 하니 부모가 계시지 않는다는 말이 새삼 가슴에 비수처럼 와 닿는다.

꿈이 있었다 한들 어머니에게 생전에 잘해 드린다고 했는데 아무것도 해 드린 것이 없다. 바느질할 때도 "100번 자를 대보고 한 번 가위를 대라"시며 옷감을 이리저리 재고 한참 연구하고 아끼며 생활하는 모습이 답답하기만 했다. 알뜰하게 살아오신 어머니를 보며 결코 저렇게 궁상맞게 되진 않으리라 했는데, 어머니도 그리되긴 바라지 않고 똑같지는 않아도 딸들은 어머니를 닮아 간다. 지금 그런 모습의 노인네로 한발 한발 걸어가고 있다.

어느 때 작은 글씨가 잘 안 보여 애쓰면 옆에서 돋보기를 내주고 아이들이 자리를 양보하면 순간 당황한다. 어머니가 나이 드셨을 때 부축하려 하니 "놔라 내가 무슨 노인네인 줄 아니?" 한 말이 생각나 쓴 웃음 짓는다. 그리고는 넘어져 환갑 때 다쳤다. 나의 자화상은 바로 어머니를 닮아가는 삶이다.

장성한 손녀와 아들과 함께 찍은 언니의 사진엔 엄마가 보였다. "어, 이모 얼굴이 엄마와 똑같네" 어느날 조카의 말이다. 젊을 땐 다리 밑에서 주워 형제와 안 닮았다고 놀림 받던 내 얼굴이, 나이 들어 찍은 증명사진에서 엄마와 닮아가던 언니 얼굴이 또 바로 내 얼굴로 겉모습은 비슷하게 세 모녀는 닮아간다.

ㄱ ㅅ ㅇ

어머니 말씀 "너 하고 싶은 것 자유롭게
살아도 길 아닌 길은 가지 말아라"

거울 앞에서

　박물관에 전시된 고대 청동거울을 본다. 얼굴이 보이도록 윤나게 닦았다고 하지만 청동 본래 색 때문에 얼굴이 제대로 보였을까? 그걸 보니 거울의 시초가 궁금하다.

　최초 거울의 유래는 청동기 시대로 당시 유리가 없어 물이나 청동에 얼굴을 비쳐 볼 수밖에 없었다. 거울은 부족장의 권위를 상징할 정도로 귀하고 신비스러운 물건이었다. 역사상 최초 거울은 손거울이다.

　고대 이집트인들은 놋쇠를 반짝일 정도로 연마해 거울로 사용했고, 기원전 300년경 그리스 수학자 유클리드는 거울의 광학적 원리를 알아냈다. 이 원리들은 기원전 3세기 말 아르키메데스가 자신의 고향인 시칠리아를 공격하는 로마 함대에 대항하는 데 적용됐다. 그는 광택 나게 연마한 금속제 거울로 태양 광선을 집중

시켜 로마 배들을 불태우려 했다. 거울은 로마 시대 때 보편화되고 중세에 유럽 전역으로 널리 퍼져 광을 낸 청동거울을 쓰고 보통 은으로 만들어 단순한 볼록 원판이다.

서양에서 거울의 기원은 금속기 시대 개시와 거의 같은 무렵 오리엔트 지역에서 제작되기 시작한 것으로 추정한다. 고대 거울은 구리나 청동 등 두꺼운 판을 매끈하게 갈아 반사경으로 한 금속거울이 주를 이루었다.

중국에서는 은나라 혹은 주나라 때부터 대략 B.C 3세기 이전부터 있었던 것으로 거울이 없을 때 연못이나 강에 비친 자기 얼굴을 본 것으로 기록되고 전국시대 백동제 거울이 나와 한나라 때는 글자를 넣은 거울도 만들었다. 그 시절 거울의 주 용도는 주로 화장하는 데 사용, 형식상 손잡이 거울, 경대 거울, 뚜껑 달린 거울 등으로 유리 거울과 달라 무거워 일반적 휴대는 어려웠을 것이다.

한국에는 청동기 시대 중국 것과는 다른 형식인 다뉴세문경이 발달한 것으로 추정— 그 후 고려시대 중국에서 우수한 거울들이 들어와 모방 거울이 갑자기 많아졌다. 그중 한국 특유의 형식도 있고 무늬도 대부분 중국 것을 모방해 조선 시대는 기록이 많이 남아 있지 않아 알 수 없다.

최초 현대식 거울은 1835년 유스투스 폰 리비히라는 사람이 유리 표면에 화학적으로 은을 입힘으로 시작되었다. 지금 같은 유리 거울은 유럽에서 12~13세기 탈바꿈한 사람이 이탈리아의 달가로

우 형제다. 1508년, 유리 뒤에 은을 칠해 뒤가 비치지 않게 한 것이 거울의 원리인데 이러한 거울을 만드는 비법을 이탈리아에서는 비밀로 하고 있었을 정도로 소중히했다.

프랑스가 이탈리아를 쳐들어와 당시 이탈리아의 거울 만드는 기술자를 강제로 훔쳤고 프랑스에서도 거울을 만들어 결국 전 세계로 뻗어나 기술의 발달과 함께 지금의 거울이 탄생되었다. 16세기쯤 유럽 전역에서 사용되고 우리나라는 조선 중기 이후 사용된 것으로 보인다. 현재 무수히 많은 다양한 거울들이 존재하고 기술의 발달로 종류도 다양하고 조명 거울, LED 거울 등 매우 다채롭다. 시간이 지나면 또 어떤 거울이 등장할까?

수선화 전설의 나르키소스도 물속의 제 모습을 보고 반해 버렸는데 명석한 사람들은 물을 퍼 올려서라도 자기 모습을 비춰보았을 것이다. 그걸 보고 나니 문제가 더 심각해진 것 같다. 자기 모습 보이는 게 신기해서 거울을 만들기 시작했을까? 여러 동물에게 거울을 비추면 자기 모습 보고 여러 반응을 보인다. 영리한 녀석은 뒤로 돌아가 보기도 한다. 사람들은 처음 비친 모습에 어떤 반응을 보였을지 궁금하다.

"때 낀 거울 닦고 나니 기분 좋네! 한번 닦으니 자꾸 닦고 싶네! 말갛던 거울 때가 끼니 보기 싫네! 한번 보기 싫으니 자꾸 보기 싫네! 한번 마음먹는 것이 참 중요하네. 한번 마음먹기에 따라 사람도 세상도 좋아지고 싫어지네."

이 세상에 거울이 없다면 모두 자기 얼굴이 잘 났다고 생각할까? 비교할 수도 없으니 전부 제 잘난 맛에 살았을까? 어떤 얼굴이 나보다 예쁘고 어떤 얼굴이 나보다 미운지 몰라서 사건은 없었을까?

거울 보며 자기만의 세월을 느끼게 한다. 40세 이후 얼굴은 자신이 살아온 모습이 된다고 하는데 하루하루 달라져 가는 모습에서 삶에 반성이 없다면 자기 삶이 옳은 삶이고 어떤 삶이 그른 삶인지 모르고 지날 수 있겠다. 반성해도 한번 가 버린 세월 되돌릴 순 없지만 거울 앞에선 거짓말을 할 수가 없다.

이야기 속에선 거울이 마술에도 이용되고 실제로도 이용되듯 사람들은 거울을 보며 마술을 하기도 한다. "거울아, 거울아! 이 세상에서 누가 제일 예쁘니?" 사람들은 보이는 즐거움으로 자기착각에 빠진다. 속마음도 비치면 재미있겠다.

거울이라는 이름은 '거꾸로'라는 뜻을 나타내는 '거구루'에 어원을 두고 있단다. 옛날에는 냇가나 개울가에 흐르는 물을 거울로 삼아 모습을 보기도 했는데, 그때 얼굴이 좌우가 바뀌어 보이기 때문에 무언가에 비춰보는 것을 '거구루'라고 하였다. 거구루가 거우루로 거우루가 오늘날 거울로 변하여 얼굴 같은 것을 비춰 보는 것이라는 뜻을 가진다. 영어 'mirror'는 '보다'라는 뜻의 라틴어 'mirare'에서 유래되어 '신기하게 생각하다'는 뜻의 라틴어 'mirari'와도 밀접한 관련이 있다.

거울은 사람의 모습을 비추어 보는 데 쓰이는 물건이다. 사람들은 거울에 어떤 마법의 힘이 깃들어 있다고 믿기도 했다. 우리나라의 무당들은 칼, 방울과 함께 거울을 무구로 널리 사용하였다. 무당은 거울을 이용해 헤어진 사람이나 잃어버린 물건들의 소재를 점치기도 하고 길흉을 알아보기도 했다. 거울과 마법을 연결시키는 것은 우리나라 뿐 아니라 세계 여러 곳에서 보이는 공통적인 현상이다. 중국인들은 귀신을 쫓아내기 위해 윤을 낸 놋쇠 거울을 문에 붙여 놓았다. 거울에 비친 자신들의 모습에 놀라 도망가도록 하기 위한 것이다. 일본에도 은거울을 이용해 태양을 다시 찾았다는 신화가 있다.

앞, 뒷면 겉으로 보여지는 평면의 거울에서 많은 역사가 보인다. 단순한 평면이 아닌 사람이 살아온 삶의 자욱이 발전사처럼 연결되어 있다. 사람들이 필요해서 만든 생활품에 이용당하기도 하고 자기를 찾기도 하는 신기한 물건이다. 거울 앞에 서면 있는 모습 그대로 보이니 여자들의 화장 안 한 본 모습을 볼 수 있을 때처럼 사람들의 본연의 자세로 돌아갈 수 있는 짧은 순간이 된다. 요즘

엔 여러 가지 형태로 비춰주는 거울이 있어 변해가는 모습에 폭소
를 짓기도 하는데 그게 살아가는 모습이 되지 않을까?

* 참고: 거울의 역사와 유래(인터넷 검색)

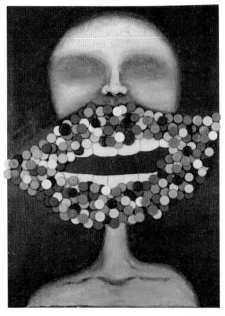

ㄱㅁㅇ

– 삶이 소중한 이유는 언젠가 이세상 일은 끝나기 때문이다 –

마음의 안식처

월요일 아침이다. 늘상 하는 일, 아침 먹고 출근하던 그나마 없어지니 오늘은 무얼 할까? 한 주일을 시작하는 월요일은 직장인들에게 월요병이라 할 만큼 힘든 한 주일의 시작이다. 일주일 단위 일요일을 충분히 쉬지 못하거나 분주한 모습으로 지나면 월요일은 당연히 피곤한 시작이다. 하루가 구분되어 나뉘듯 한 주일이 나뉘어 다행이지 그대로 연속되는 한 달이라면 어떨까? 그 개념이 없다면 생활은 더 피곤할 수 있겠다. 네 번으로 나뉘어 진 한 달도 휴일 없이 계속하면 사는 것이 이런 건가? 생각이 든다.

하긴 종교를 가진 사람―특히 주일을 지키는 기독교는 쉬는 일요일도 없다.

정해진 일 없이 하루 시작하면 규칙적인 일 아니라도 하루가 바쁘다. 피곤한대로 자리에 들면 다음날 아침, 계획은 없는데 하루가 가고 계획 있는 한 주일은 더없이 빨리 지나간다. 한 달의 두주일 지나면 직장인들은 급여를 받고 노래처럼 '가불하는 재미'로 출근하고 수준에 관계 없이 월급날은 즐겁다. 어느새 우체통엔 여기저기 고지서가 날아오면 한 달도 지나간다. 어느 달 결혼식은 날자 정해 통고되지만 대소사가 한꺼번에 겹쳐질 때도 있고 예상치 않던 행사 초대도 만만치 않다. 계절도 네 번으로 나뉘어 행사도 계절에 맞게 각양각색 한 달도 길지 않다. 나뉘어져서 그런지 점점 일년 12달도 길지 않다.

'가장 중요한 날은 오늘입니다.' 잘 아는 말이지만 그리 생각 않고 지난다. 오늘 하루 무얼 할지 걱정할 필요가 없는데 뚜렷한 일이 없는 한 오늘은 무얼 할까, 막연히 생각한다. 백수가 과로사한다는 말, 오라는 데는 없어도 갈 데는 많다는 말, 다 맞는 말이라 빙긋 웃는다. 요즘 거리공연도 많고 전시회도 특별한 곳 아니면 개방되어있어 문화생활하기도 편하다. 나와 상관관계가 없는 곳은 가지 않으려는 습성 때문에 다소 주춤하지만 이만큼 살다 보니 그런 것도 익숙해졌다. 내게 제한된 영역만을 고집하지 않으니 조금은 여유 있게 사나보다. 얼굴 모습도 40 이후면 자신이 책임져야 한다는 것, 조금씩 둥글어져 모두가 두루뭉실해져 보이는 것, 이제는 매사를 따지지도 묻지도 않기로 했다.

꽃 그림 그리다 보니 새삼 느끼지만 길가에 작은 풀꽃도 소홀히 하게 되지 않는다. 저마다 생활수단으로 하나도 같은 모양 아닌 오묘한 꽃잎을 보이며 누가 관심 가져 주지 않아도 오롯이 자기 자리를 지키고 있다. 한해 아니 한 계절 잠시 피는 민들레도 수명이 다할 때까지 끊임없이 하얀 수염의 꽃씨를 날리고 있다. 어쩌다 눈에 띈 길가 하필이면 아스팔트 틈새에 뿌리내린 아슬아슬 파란 잎새의 작은 나무도 지나가는 무심한 발길에도 아랑곳없이 오뚜기처럼 생명을 이어간다. 아마도 조금 떨어진 곳에 있는 저 굳건한 느티나무의 뿌리가 어쩌다 비친 햇살을 따라 새 생명을 내보이나 보다. 할 수만 있다면 파내어 옮겨보고도 싶은데 그 생명이 언제까지 지탱할 수 있을지 지켜봐야겠다.

자식들도 품안에 자식일 때가 제일 편안하고 쉬울 수 있듯 주위 사람들이 하나 둘 떠나 그곳이 그들의 안식처라면 불러도 소용없고 나무 사이 걷고 있는 그 길이 그의 길이라면 옆에서 보아주고 그저 응원만 할 수밖에 도리가 없다. 점점 세대 차이가 나서 진심으로 마음을 열어 관심 가지려 해도 도리어 잔소리로 반응이 오니 길가의 무심한 풀포기만큼도 내게 미소를 보이지 않는다. 때로는 같이 걷는 길이 도움이 될 수도 있건만 이제 도움은 어쩌면 물질적인 것으로 바뀌어 가는 형상이다. 진정한 마음의 안식처가 변해 버린 것 같기도 하다. 예전에 마음의 안식처는 고향이었는데 고향이 없는 사람들은 부모님이 계신 곳이었고 지금 젊은이들은 어디인지 구분이 안 된다. 그래도 이만큼 나이가 되면 가족이 있는 곳이 마음의 안식처라는 걸 알 수 있을지….

하루를 방황하다가 다시 꽃밭에 선다.
팍팍한 아스팔트 인생길에서
아무렇게나 자란 풀꽃이 내게 물었다
돌보아 주는 사람도 없고 지켜보아 주는 사람이 없어도
이렇게 새로운 의미로 다가서본 적이 있냐고
이렇게 신선한 충격으로 가슴을 뛰게 해 본 적이 있냐고
비집고 타고난 자리를 탓하지 않고
철 따라 씨앗을 맺고 나서
한줌 흙으로 돌아가는 삶을 살아본 적이 있냐고
한줌 흙으로 돌아가는 삶을 살아본 적이 있냐고
작은 풀꽃이 내게 물었다.

　　　　　　　　　　　　－ 박형동의 작은 풀꽃이 내게 물었다 －

가을 향기 안으며

'가을의 향기' 하면 아마도 향기 짙은 국화를 생각하리라. 향기하면 제일 먼저 생각하는 것이 꽃이다. '꽃향기'란 간판으로 모든 꽃을 판매하나 향기가 가장 짙은 건 가을의 꽃이다.

가을 향에 취하듯 훌쩍 떠나게 되는 여행의 계절이다. 계절 속에 이끌려 역마살이 끼어있는 양 헤매도 본다. 돌아보면 그 어느 곳도 소홀히 할 수 없는 계곡, 산하, 귀엽게 웅크린 토끼 모양의 나라, 대범하게 포효하는 호랑이 형상이라고도 하나 중국의 거대한 대륙 한쪽에 달라붙은 조그만 반도는 아기 호랑이 같다. 거기에 또 반쪽인 나라지만 내가 돌아보고 싶은 곳은 아직도 많다. 많은 나라를 가 보진 않았지만 나가면 절로 애국자도 되고 여행한 나라 중 좋은 곳 있어도 내 나라라 그런지 더 아기자기하고 아름답다.

들판을 거닐면 우리만의 옛날, 전설이 내게로 스며든다. 작은 이름 없는 풀포기 하나도 같은 것이 없고 자기를 자랑하듯 뽐내고, 산은 산대로 많은 사연을 감추고 있어 그 사연을 속속들이 캐내어 보러 간다. 명산마다 고승대찰 가슴에 안고 살아온 이야기를 한다. 나무는 나무대로 수천 년을 살아 많은 얘기를 간직한 채 들어 줄 사람을 기다리는 듯하다.

덮어 둘 수 없는 수많은 이야기는 봄이면 청아한 모습으로 '봄의 소리 왈츠'가 되고 여름엔 가쁜 숨을 몰아쉬며, 때때로 시원한 그늘과 한 모금의 물로 우리의 목마른 인생을 축인다. 가을은 색깔 고운 그림을 그린다. 아니, 자신의 모든 것을 희생해 아름다움을 보이고 마지막까지 대지에 굴러 풍족과 허무함을 보여준다. 그래서 다른 계절보다 가을엔 많은 시를 쓴다. 침묵의 시간으로 이끌려 간다. 어느새 한줄기 찬바람 불어 을씨년스러움에 옷깃을 여미고, 나는 비로소 나를 되돌아본다. 들판엔 아직 가득 남아 있는, 옛날을 거슬러 오르는 역사의 유적들, 겉으로 보여지는 것들로만 느끼면서 나는 지금 어디서 와 어디에 서 있는가?

어디선가 세미한 소리가 들린다.
  "너는 좋은 것들 속에 있는 좋은 것은 보이지 아니하고
  아름다운 것들 중에 아름다움은 아름답지 아니하며

빛 가운데 있는 빛은 보이지 아니한다.

너는 가서 좋지 못한 것들 속에 좋은 것이 되어라

너는 저기 저곳에 가서 너의 아름다움을 나타내고

너는 빛이 없는 곳에 가서 빛을 비추어라

향기 없는 저곳에 가서 향기 되어 풍기면서 너의 일 다 하라."

나는 지금 길가 어느 한 모퉁이에 서성대며 서 있다. 원형 잔디 꽃밭에는 국화와 사르비아가 나름 자태와 향을 퍼뜨린다. 주위를 오가는 젊은이의 향기도 꽃들 못지않게 진하다.

가을은 보암직도 하고 먹음직도 한 향기, 한 모퉁이에 웅크린 나는 어떤 향기일까, 우리들 향기는 어떤 모양으로 퍼져 갈까, 세계와 역사 속에서 어떤 향기로 퍼져야 할까,

창조주의 섭리 안에 제 갈 길을 바로 찾아야 하는데 혹시라도 칡넝쿨에 얽혀 나의 향기를 잃어버리고 있는 것은 아닌가,

가을은 언제나 꽉 찬 모습으로 허전한 마음인 듯한 우리, 무언가를 충족시키며 열매로 일깨워 준다. 나는 가을에 취해 있고 가을은 꽃향기를 보듬고 꽃향기는 가을 속에 묻혀 온갖 모습으로 나를 부른다. 만추의 낙엽들은 나를 어떤 모습으로 어디까지 안내할 수 있을까?

춤추는 허수아비

만남의 의미는 무얼까, 얼마나 오랜만에 잡아본 손인가.

요즘 시대는 처음 만나 이성도 동성도 악수하거나 신체의 어느 부분 접촉이 쉬워졌는데 그러다보니 성폭력이란 범죄성 단어도 등장했다. 정감 어린 표현이 도를 넘어 사람이 만든 법안에 판결을 집행당하는 속에 감춰진 진실의 마음은 어떻게 표현되어야 할지 모르겠다.

이산가족 상봉 모습을 보며 이젠 감동보다 한숨도 나온다. 어디선가 보고 있을 감시된 눈물이 어디까지 진실로 볼 수 있는지 헤아리고 싶지 않지만 헤아리게 된다.

어느 해 동유럽을 여행하니 아름다운 오스트리아 스위스를 지나 러시아를 거쳐 사회주의 강력한 체코 폴란드 헝가리 독일 등 가슴 아픈 사연이 있는 곳을 돌게 되었다. 우리나라는 역사 교과서도 중요시 되지 않고 현재 출판에 대해 시끄러운데 폴란드는 초등 저학년인 듯한 아이들을 참혹한 아우슈비츠 수용소 현장 견학시키고 있었다. 독일이 막 통일이 된 바로 이후여서 부서진 통곡의 벽 조각들도 기념품으로 판매되고 있다. 우리의 DMZ 보다도 그들 표현으로 바로 길 건너 10분밖에 되지 않는 가까운 큰길 사이를 눈을 피해 넘나들며 사용한 여러 도구들 전시에는 새삼 자유와 민주가 무엇인가를 다시 느끼며 가슴이 콱 막혀왔다. 악랄하던 나치의 독일도 통일되었는데 가장 힘든 곳이 동양, 특히 남북한 문제가 지금도 엉켜있는 아랍권 만큼 이산가족 상봉을 보아도 가슴이 답답하기는 마찬가지다.

6·25동란 후 65년이 되었으니 당시의 가족을 기억할 수 있는 사람들은 모두 고령이고 돌아가신 분들도 계시고 후손들이야 전해들은 이야기일 뿐 점점 미약해질 것 같은데 다시 상봉은 시작되었다가 중단되었다. 몇 년 만에 이어진 이 행사도 계속될지 상봉하는 가족들도 언제 다시 만날지 기약은 없다. 이번 뉴스화면에서도 헤어지며 편지인지 봉투를 건네는 장면이 보였는데 그대로 갖게 될지 모른다. 통일이 되지 않는 한 소식이 오가는 것도 쉽지 않고 다시 볼 수 있을지 알 수 없다. 같은 남한에 살면서도 떨어져 살면 이웃사촌만도 못한데 저렇게 만나는 것도 그때 뿐이겠지, 먼저 상봉한 어떤 분은 그 후도 다른 선을 통해 소식이 오지만 외면할 수도 계속할 수도 없는 서로 못할 일이라고 혀를 찬다.

언제부터인가 정기적인 만남이 아니라도 다른 나라를 통해 남한에서도 어떤 단체를 통해 비공식으로 평양까지 다녀온 사람도 있기는 하다.

　황해도가 고향인 부모님은 친가는 그런대로 외가는 외삼촌 가족만 나오고 조부모님과 형제자매들이 나오지 못하셨다. 시집 왔으니 시가를 따라 1900년대 이조 말엽과 일정시대를 사신 부모님은 남북의 왕래가 순조로울 때 직장을 따라 남하하였다. 그때 사신 어르신들은 덕분이라 할지 일어를 터득하였다. 그래서 일본 유학을 가신 친척도 있고 큰아들을 납치당한 어머니는 생사를 알지 못하니 평생 아들을 기다리며 사셨다. 북에서 누가 귀순했다고 하면 혹시 하고 기다렸고 큰아들을 호적에서 정리하지 않아 이북 거주로 되어 옛날엔 정부 조사대상이 되기도 했다. 어려운 일을 당하면 가끔 부모님을, 고향을 그리워하고 보고 싶다고 하신다.
　이산가족 상봉이 시작되었을 때 아버지는 안 계셨고 어머니는 불편한 몸이 되셨다. 그래도 한번 신청을 해 볼까 했는데 어머니는 '이제 만나면 뭐 하겠냐, 혹시 북한의 가족들이 불이익을 당하면 어쩌나' 하셔서 선뜻 나서지 못했다. 그렇게 만날 생각도 못하고 그리움을 안은 채 어머니는 지금쯤 하늘나라에서 가족 상봉하고 있을까? 그 후에 국방부에서 시작된 납북자 유전자 검사를 하고 뒤늦게 오빠를 찾으려 했으나 소식이 없다.

큰오빠가 끌려가고 사연 많은 17년간의 그 집을 떠났다. 전쟁의 상처는 모두 크지만 우리도 이산가족이고 납치된 가족이 있고 물심양면 피해를 당했다. 이산가족 상봉을 보면 혹시나 하는 마음에 관심을 가진다. 핏줄이 무언지 부모님만큼 내가 직접 당하지 않은 일이면서도 내 고향이 아니면서도 백령도에서 가까이 바다 너머 보이는 황해도 이북 땅을 보면 가고 싶고 그립다.

금강산 관광 행운의 기회로 강원도 설악산을 지나 3.8선을 넘어 해금강을 넘어가는 것이 꿈만 같았다. 같은 설악산 자락인데 울창하던 나무는 없고 창밖으로 보이는 군인들이 반가워 손을 흔들어보나 아마 응답은 없을 거라는 우리 측 안내원의 말처럼 동상처럼 보여 머쓱해지고 겉으론 웃고 있지만 우리끼리도 맘 놓고 말을 할 수 없다. 이산가족 상봉도 더는 들어가지 못하고 그곳에서 이루어지나보다. 맛보기만 하고 온 금강산 관광도 꿈에 그리던 북한 땅이라 생각하니 가슴이 설레고 어머니 생각하니 가슴 아팠다. 그래도 인정은 깔려 있지 않을까 싶어 친절히 말을 걸어보나 일본 사람도 친절하지만 속을 알 수 없다는 편견같이 모든 말이 허공에 겉도는 느낌이다.

하루는 가을비가 부슬부슬 내려 근처를 돌며 빈대떡을 사먹고 무뚝뚝한 이북 사투리를 들으며 대화는 사무적이다. 교예단의 공연은 자랑거리인데 볼만 하다. 특유의 가창력 자랑하던 카랑카랑한 노래가 기억에 남는다. 그들의 성악 발성법은 우리와 다른가? "백두에서 한라로 우리는 하나의 겨레 헤어져서 얼마나 눈물 또한 얼마였던가, 잘 있으라 다시 만나요. 잘 가시라 다시 만나요 목메어 소리칩니다. 안녕히 다시 만나요" 그나마도 비극 속에 끊겨진 금강산 관광의 길, 맛보기만 하고 오는 이 행사와 다름없다.

 한편으론 내 집안 내 이웃들도 한 마음이 되지 못하고 이제 겨우 자리 잡은 남한도 무엇이 이유인지 의견일치가 되지 않는데 통일이 된다고 한들 무슨 뾰족한 수가 있을까, 저렇게라도 변덕만 없이 엉뚱한 문제없이 계속 왕래만 하는 것도 좋을 듯한데…, 주변에서도 문제를 일으키는 사람은 항상 무엇으로 골탕 먹일까만을 생각하는 것 같다.

 가족 상봉도 세미나 회의를 하듯 한다. 2시간 간격으로 만나고 쉬었다가 다시 만나고 하루 세 차례 정해져 있고 2박 3일의 짧다면 짧고 길다면 긴 만남이다. 문제야 있겠지만 가족이 하룻밤 잠자리도 함께하지 못하고 자꾸 만나야 할 말도 있지 오랜만에 만나 무슨 할 말이 그리 많겠는가, 얼굴만 보는 것 살아 있어 준 것만 고마운 것이다. 어느 최고령의 노인은 명절이나 무슨 날 되면 많이 우시더니 이젠 눈물도 말랐는지 울지 않으신다고, 만남이라는 그 목적 하나,

올해는 오랜만의 만남이어선지 기네스북에 올린 기념인지 연이어 두 차례의 상봉이 이루어진다. 헤어짐은 언제나 슬프고 울먹울먹하고 눈물이 흐른다. 차마 놓지 못하는 조그만 창문 틈을 비집고 맞잡은 차창 밖 손들, 팔이 떨어져 나가도 감시원만 없다면 달리는 차에 그대로 끌려가며 놓지 않았을 듯하다. 나중에야 어찌되든 미친 척 따라가고 싶은 사람도 있었을 것이다.

춤추는 허수아비, 언뜻 생각난 제목인데 때맞춘 무용극 제목이 동일하다. 내용은 달라도 만추의 가을, 춤추는 허수아비로 기쁨과 슬픔의 표현이 그것뿐이다. 어쩌란 말이냐 이 안타까운 상황을….

2015년 씀

가을 하늘 보며

오랫동안 매어있던, 다람쥐 쳇바퀴 돌던 직장을 그만두고 조금
은 허전하다. 한 달쯤은 무언가 할 일을 잊은 듯해도 여유 있게 지
냈는데 점점 좌불안석이다. 그동안 절기 따라 순서대로 일했는데
계획이 없으니 무신경한 채로 가을 온 줄도 몰랐다. 여자는 집안
사람으로 정해져 있어 직장을 안 다녀도 집안일은 항상 산더미 같
아 식구들은 집에 있으니 한편으론 잘 되었다 하면서도 제자리를
찾지 못한 양념처럼 물음이 많다.

'오늘 뭐 할 거야?' 나도 무얼 해야 할지 생각하지 않았지만 아
침부터 바쁘다, 머릿속도 복잡하다. 어머니 살아계실 때 진작 이랬
으면 효녀 소리나 듣지, 내 마음 편치 않아도 아침밥은 부지런한
어머니에게 선수를 빼앗겼다. 직장 핑계대고 피곤해 늦어지면 어
느새 조금이라도 움직이시는 노인네 새벽밥하게 한다고 식구들한

테 원망도 핀잔도 들었다.

아침엔 시간 늦어 주섬주섬 직장으로 뺑소니치기 바쁘고 식구들에게도 신경 안 쓰니 지금도 만성이 되었다. 이젠 모두 출가하고 신경 쓸 일 없으니 더 할 일이 없는 것으로 착각하는 것도 당연하다. 그리고 무신경하게 살고 싶고 신경 써야 할 옆에 사람도 원래 무신경으로 살아 다행이고 한편으론 고맙고 미안한 마음은 있다. 그러니 관심 있으면 저 퇴물여자(?) 하루종일 집에서 뭐 할 건가, 궁금할 거다. 이렇게 가을 하늘을 볼 수 있는 여유도 생겼다.

여자는 집안일에만 매여있어야 한다는 상념을 깨보려고 했을까? 젊은 시절 연애와 결혼은 뒷전이고 직장을 원했고 결혼은 때가 되면 자연히 하게 되는 것으로 생각했고 맞벌이를 주장했다. 나이 차이가 많은 언니와 바로 위 오빠가 다 출가하니 나이든 부모에 막내 혼자만 남는다. 남들은 막내라면 어리광도 부리고 귀여움도 많이 받을 거라고 하는데 다른 형제보다 부모님과 같이 있는 시간만 많았다. 자랄 때는 막내라 철없으니 대화에도 끼워주지 않았고 언니 오빠와 닮지 않아 매일 다리 밑에서 주워왔다고 놀려 철부지 아이는 울보가 되었고 전화위복으로 내 딴엔 사리를 따져 내면의 지혜를 연마하는 데 주력한다.

핑계처럼 하고 싶은 걸 못하는 것이 속상했고 불만이라 다음에 내 자식에게는 경제적인 것까지 포함해 그런 어려움을 당하게 하고 싶지 않았다. 그래서 사회에 적응부터 하려 했는데 그게 쉽지 않았다. 처음엔 조그만 사무실에 있었는데 옛날엔 부실한 회사도 왜 그리 많은지, 이력서도 많이 쓰고 몇 번을 전전하다가 나이가 많아서야 만족한 직장을 가지게 되었다.

일찍 결혼한 친구들은 한창 자식 재롱 보며 깨가 쏟아질 때, 늦게 받은 직장이 얼마나 소중한지 이제 내 할 일을 하는 것 같아 가슴 펴고 살았다. 혼자라서 홀가분하고 부모님 용돈 드리는 것도 (속 시원히도 못 드려 봤지만) 좋았고 무엇보다 형제에게 손 벌리지 않고 사람 도리 하는 것 같아 한동안 편했다. 그러나 아버지께 효도도 제대로 못한채 돌아가시고 어머니만 모시게 되었으나 편히 모시지 못한 것이 내내 후회가 된다.

늦된 막내 뒷바라지만 하다가 고혈압으로 쓰러지셨다. 휠체어를 사드리고 밖으로 바람 쏘이러 나가자고 하니 "불편한 엄마 챙피하지 않느냐"고 자신의 안타까움과 함께 자식들 걱정을 먼저 하신다. 왼쪽은 못 쓰고 오른쪽으로 한사코 끼니때마다 전전긍긍하며 움직이신다. 그나마 운동이 될까 하고 방심하다가 두 번 넘어져 다리 수술하고 쓰러진 지 꼭 10년 조금 넘어 돌아가셔서 억장이 무너지듯 정신을 잃고 눈물도 말랐는지 울 수도 없다. 가시면서도 "니가 원하는 거, 너 뒷바라지 못해줘서 미안하다"고 우신다. 일이 안 되거나 속상할 때 화풀이할 사람은 엄마뿐이었다. 누구나

다 그렇겠지만 아직도 어머니만 생각하면 가슴이 아프고 눈물이 고인다. 아니 그 이름을 부르지 못하고 대화하며 목소리 듣지 못하는 게 가슴 아프다.

밖으로만 나돌다 보니 해야 할 일은 많으나 집안일은 사무보다도 경력이 안 쌓여있다. 컴퓨터를 만지며 사무실의 연장으로 살고 싶기도 하다. 식구가 없는데도 세끼 끼니 챙기기도 큰일이다. 내 생각엔 나도 잘하고 있다고 생각하는데 왜 그렇게 어머니께 물어보고 싶은 일들이 많아지는지 모르겠다. 가끔 어머니도 "엄마가 보고 싶다" 하신 일이 생각난다. 그땐 그게 참 신기했다. 어머니 가시고 첫 어버이 날, 인터넷에 올린 누구 글엔가 "엄마는 맛있는 음식이 없는 줄 알았습니다. 엄마는 울면 안 되는 줄 알았습니다. 엄마는…. 엄마는…." 하던 글을 보고 한참 울었다. 어머니는 가끔씩 새벽에 성경을 읽고 기도하시며 자식들 몰래 울음을 삼키기도 하신다. 되돌아보니 나처럼 답답하고 자식들 문제, 생활 숙제를 풀기 어려운 때인 것 같기도 하다.

나는 남아있는 사람에게 무얼 기억나게 해 줄 수 있을까?

가을은 어머니와 큰언니 생일이 있다. 봄인 내 생일은 꼭 기억하고 불편하신 그 몸으로 챙겨주시다가 그해 생일은 잊고 다음 달 가셨는데 엄마 생일은 몇 번이나 챙겨 드렸는지 기억이 없다. 매년 지나쳐 버린 생일, 평생 한 번뿐인 환갑에는 다리 다쳐 지나가고,

칠순에는 쓰러져 지나가고, 팔순엔 한쪽 팔다리로 겨우 움직이시다 다음 해 하늘나라로 가시고 17년이다. 이제 내가 그 자리 그 나이로 가고 있으니 기분이 이상야릇하고 실감이 나지 않는다.

어머니는 소라색(하늘색) 옷을 좋아하셨고 가을 하늘같이 맑은 성품이셨다. 저렇게 맑은 가을 하늘로 오기까지 변화무쌍한 기후 변화를 지나고 변한다. 어느 건물 현판의 글귀가 눈에 띈다. "대추가 저절로 붉어질 리는 없다. 저 안에 태풍 몇 개, 번개 몇 개, 벼락 몇 개" 가을 하늘은 인내를 이긴 희망의 색으로 보인다. 나는 아직도 파란 대추알인 채, 맑은 가을 하늘만 보고 왠지 그리운 추억만 있는 데도 좋아라! 한다.

* 어머니는 1993년 떠나시고 이 글은 2010년 쓴 것임.

시월의 마지막 날에

시월의 마지막 날은 왠지 마음이 이상야릇해진다. 그래서 '10월의 마지막 밤…' 유행가 가사도 쓰여졌을까? 10월은 멋진 날이기도 한가 보다. '10월의 어느 멋진 날에'라는 노래의 제목도 있다. 내게도 10월은 아름답고 멋진 날이었는데 이젠 우울한 기억으로 남는다.

가을은 '남자의 계절'이라고 불리며 이상야릇한 모두 좋아하는 계절이기도 하다. 남자들만 아니라 모두들 싱그러운 바람과 낙엽과 함께 한 번쯤 나들이를 생각할 것 같다. 나도 유난히 가을 여행이 좋다. 여행에 특히 좋은 계절이 없기도 하나 그보다 훌쩍 떠나기엔 가을이 제격이다. 후덥지근하던 날이 어느새 하늘이 맑아 높아 보이고 코스모스가 한들거리며 시원한 바람이 불면 정신이 이상해진 사람처럼 안절부절이다. 방학이 끝나고 9월 새 학기가 되고 바쁜 일과인데도 당연히 휴일 연휴와 여행일정부터 챙긴다.

그래서 한편으로 가을로 명명되는 10월은 아름답고 멋진 날이기도 하다.

몇해 전 10월 첫날 연휴에 점심을 먹으며 친구들과 얘기에 열중해 매번 어깨에 멘 핸드백을 그날은 이상하게 옆에 걸고 밀려 떨어진 걸 누가 집어 가는 것도 몰랐다. 짐작하기는 옆에 사람인 것도 같고 예감이 이상했는데 힐끗 보고는 친구 쪽으로 몸을 돌려 그때도 첫 연휴를 놓쳐 다음 진행할 여행계획에 열을 올렸다. 잠시 후 일어나 나가려고 하니, 아뿔싸! 핸드백이 없다. 얘기 하는중 옆 사람이 나가려고 치는 것 같아 무심코 의자를 앞으로 당기긴 했어도 핸드백 생각 못 했다.

여자의 핸드백은 만물상이다. 작긴 해도 그날따라 정리할 일이 있어 은행 통장이며 카드며 잡다한 것들이 많아 제법 묵직하다. 그래서 어깨에 멘 것을 잠시 내려놓았다가 무릎에 놓는다고 생각했는데 얘기에 팔려 무심했다. 허겁지겁 안면 있는 직원 도움으로 휴일이어도 분실신고했으나 각종 카드며 열쇠도 여러 개 있고 머리가 아프다.

마침 추석에 피해를 당한 듯하여 속상하지만 어쩔 수 없이 주위 사람에겐 제대로 말도 못 하고 혼자 끙끙대며 한 달 동안 애쓰고 아직 해결 안 된 일도 있었지만 끝으로 운전면허증을 재발행받고 일단 안도의 한숨을 쉬고 있는 날이 시월의 마지막 날이다. 네트워트가 연결되어 빠르게 신고되고 재발급이 되는 건 다행이다.

밤늦게 전화가 온다. 밤늦게 오는 전화는 그리 달갑지 않다. 더구나 일가친척 중 노인이 있거나 환자가 있는 경우 가슴이 덜컹 내려앉는다. 즐겁고 반가운 전화가 아닐 때가 많다. 부모가 가시고 나니 가까운 사람, 많지도 않은 형제자매 쪽이다. 설마 했는데 형부의 부고 전화다. 한때 부족함 없이 반듯이 살고 평소 운동도 잘하던 건강한 사람이다. IMF로 국가적인 경제의 시련을 당할 때 형부도 그 와중에 끼어 사업 실패의 충격으로 쓰러졌다가 뇌수술 받고 겨우 일어났으나 닥쳐진 현실 때문에 이겨내지 못하고 다시 좌절로 악화되어 겨우 지탱하다가 칠순도 못채운 채 가족과 이별을 한 것이다.

병마와 싸운지는 한 오 년, 형부가 내게 오월 어느 날 악화되는 몸으로 안부전화하면서 어눌한 말씨로 "나 이제 이 상태에서 점점 말도 못하게 된다는데 면목 없지만 나 좀 도와줄 수 없느냐"고 한 말이 마지막이 되었다. 삼 남매 우리 형제의 어쩌다 맏이된 형부는 원래 말이 없는 분이다. 용기 내어 지푸라기 잡는 심정으로 막내인 내게 도움을 청한 것이다. 그 후 칠월에 나도 가벼운 교통사고를 당해 잠시 입원했다 퇴원해 방문했을 때 형부는 말은 못하고 울기만 했다. 언니도 건강이 좋지 않고 조카가 외국에 있어 마땅히 의논할 사람이 없었던 처지여서 자주 찾아보긴 했지만 나도 큰 도움을 줄 수가 없었다.

다정다감하신 우리 어머니는 집안에 첫 사위가 되니 천하의 장

군을 만나듯 훤칠한 사위를 자랑스러워하셨다. 그때 난 고1이었는데 사위사랑이 바로 저런 것이구나 부러웠다. 사위 사랑은 장모라고 하지만 어머니는 형부에겐 지극정성 다 하시고 형부의 어머니(사둔 어르신)도 질투하실 정도였다. 막내인 형부는 동생인 처남, 처제가 있어 행복해 하였다. 딸 귀한 형부 집안에도 나는 예쁜 처제 노릇하고 싶었는데 여우 성격이 못되니 마음대로 되지 않았다. 그래도 형부는 말없이 처제를 예쁘게 보아 내가 하는 건 다 좋게 보아 주었다. 내 아버지가 돌아가시고 난 후 형부는 아버지 대신 하느라 힘들었을 것이다. 형부는 내 어머니가 돌아가셨을 때 거의 정신을 못 차리고 슬퍼하였다. 그 뒤에 사돈 어르신들이 돌아가셨을 때는 죽음에 초연해 진듯 그때보다 덜 슬퍼보였다. 그런 형부였는데 어머니의 절도 있는 예절교육과 잘나 보이는 모습 때문에 왠지 어려워 편히 대하질 못했다.

출중하고 유난히 긴 모습이 더욱 슬퍼 보인다. 죽음을 대하는 것이 처음은 아니고 다른 집안의 장례식에선 형식적이 되는데 내가 당할 때는 어찌해야 할 바를 모르겠다. 어릴 때 여자는 문상을 잘 가지 않아 나이 들어 처음 문상 가면서 어머니에게 상주에게 무어라고 인사해야 하느냐고 하니 "뭐라 드릴 말씀이 없습니다" 한다고 해서 "드릴 말씀 없으면 가만히 있으면 되겠네?" 하며 농담했지만 당해보면 아픈 가슴은 어디에도 위로 받을 수도 없고 뻥 뚫린 마음이 무엇으로 메꿔지겠는가? 언니도 아픈 몸으로 그동안

병수발하느라 힘들었는지 정신없이 한구석에 앉아 있다. 큰 수술해서 반쪽이 되었는데 이제 또 큰 반쪽이 떨어져 나갔으니 온전할 수가 있을까? 실감이 나지 않는 모습이다. 그날은 언니의 생일이기도 했다.

그런 모습들이 아직도 남아있는데 몇해 후 바로 그날 나는 또 작은 암 수술을 하여 이 추억에 한 가지를 더한다. 하필이면 그날 여러 일들이 겹쳐 문병 온 언니가 어처구니없어하는 말 "시월의 마지막 날은 우리 집안 행사 날 잡은 날이냐?"

형부가 즐겨보던 텔레비전 프로인 '동물의 왕국'을 본다, 동식물의 탄생과 죽음, 약육강식의 생명의 자연생태 앞에서 끊임없이 움직이며 살아가는 모습이 가슴 저린다. 삶이란 이해할 수 없는 우연의 연속이다. 태어날 때는 순서가 있어도 가는 날은 순서가 없으니 나도 앞일은 알 수 없다. 재생도 재발급도 되어지는 삶이 아닌 단 한번 오갈 수 있는 길이다. 이만큼 살아온 자리에서도 느껴지는 건, 생에 필요한 삶의 기술의 다른 일들은 계속하다 보면 연륜이 쌓이고 익숙해지는데 인생의 삶이란 살아 갈수록 점점 어려워지고 이해할 수 없는 일만 전개된다. 그래서 무의미하기보다 계속되는 탐험일 수 있겠으나 때때로 정신 차리지 않으면 시월의 마지막 날이 기점처럼 낙엽 되어 이리저리 뒹굴거나 밟혀 한 줌의 흙으로 어디론가 흩어져 자취가 없어진다. 그래도 시월은 추억이 되어 그립고 아름다울까?

겨울과 봄 사이

머문 듯 가는 세월, 아침이 계절이 어김없이 찾아오면 새해도 다시 옵니다.

언제부터 시작된 일인지 몰라도 깊어진 겨울과 함께 새 달력을 준비하고 처음 숫자 1부터 시작되지요. 겨울비 안에 봄을 깨우는 속삭임의 메아리도 들리면 봄 아지랑이 보이지 않지만 한 아름 안고 오는 님이 그리워하던 그곳, 어느덧 겨울 햇살의 부드러움이 하품하며 기지개를 펴는 저를 안아주네요.

사소한 하루하루가 행복의 원천이라고 님의 웃는 얼굴이 감동의 근원이라고 느끼고 성숙해진 지혜와 양처럼 순수한 영혼은 미지의 등불을 켜며 설레던 어느덧 한 달, 한 장의 카렌다도 활짝 열린 마음으로 사랑이 가득한 마지막 달.

겨울 축제는 살얼음 에이는 추운 날도 있지만 예수님의 사랑을 실천하는 마음들이 훈훈해 항상 화려하고도 추억 어린 날을 기억하게 하지요.

영롱하게 흔들거리며 달을 품은 정동진의 밤바다처럼 도시의 반짝이는 야경을 품은 서울의 달빛처럼- 얼어붙은 수면 위에서도 하나로 이어집니다.

하얀 아침 살얼음 언 도시 마음의 옹달샘이 되어 향긋한 영혼의 넥타 한 모금은 뜨거운 심장의 원동력이 되고 하얀 세상 흰 눈꽃 겨울 왕국 수핑의 옹달샘으로 님의 마니또는 뜨거운 원동력입니다. 흰 눈 날리는 하얀 산책길에서 하얀 마음으로 물빛 나는 수채화를 품어봅니다. 따뜻한 마음 가까이 느낄 수 있는 아련히 그곳 보이는 창가에서 겨울 햇빛 그 흔들림 속에 살포시 예쁜 짓 하는 흰 눈들이 깨어나는 아침 기지개 쭉 펴고 지난가을의 속삭임도 생각합니다.

창밖 화려한 축제는 무르익고 만추의 화려한 외출 그리운 것은 모두 달에 있었지요. 보름달 속엔 여름 햇살의 열정과 향기를 품고 불가능한 꿈이지만 나만의 감정과 철학으로 숲속에서 나를 바꾸게 하는 그곳, 화끈한 가슴으로 포옹하던 길고 뜨거워진 여름도 있었지요. 이글거리는 태양 나만의 여름 왕국이 한줄기 신선한 바람으로 하나 둘 셋 여신의 숨결로 꽃잎들이 휘날리고 새 생명 잉태하고 사랑을 품은 님의 숨결은 햇빛입니다.

햇살 사이로 바람 따라 휘날리던 꽃잎, 낙엽 하나 안개 되어 열매의 전설로 되돌아오며 가을 여는 소리 들립니다. 신선한 바람 따라 마중나온 귀뚜라미 귀뚤귀뚤 잔잔한 물결 따라 단풍 아래 다람쥐 졸졸졸 똑똑똑 열매 모으는 소리.

사악사악 어디선지 낙엽 쓰는 유쾌한 아침 어느덧 살금살금 겨울 오는 소리 들리는 듯한 상쾌한 아침 낙엽 향내 맡으며 고엽들 사이로 근심도 떨궈 내듯 가로수 그늘 아래 발밑에 뒹구는 낙엽들.

어찌 지내십니까? 조용한 섬에서 일기를 쓰시나요, 불사조의 노래를 들으시나요, 나만의 사색과 감성이 흐르는 곳, 잿빛 하늘 촉촉이 내리는 늦가을 비 감미로운 팝송 한줄기 따뜻한 차 향기가 그리워집니다.

가을을 남기고 떠난 자리 어서 가자고 세월이 남은 가을에게 재촉하며 비가 내립니다. 가을 동화 주인공이 된 그 숲길 쏟아지는 햇살과 하나가 되어 가을을 남기고 떠나와 또 다른 가을의 전설을 남기었지요.

잿빛 하늘 열리고 하얀 눈이 내립니다. 점차로 변화무쌍해 보이던 새로운 하늘이 오늘은 함박눈을 내려 그동안의 전설은 덮으려나 봅니다. 겨울축제는 나무들 새 생명의 열매를 주렁주렁 나눠주며 힘겨웠던 거추장스런 옷을 벗어버리며 시작합니다. 저마다 벗겨진 잎들은 내일의 새순을 위해 포근한 이불로 메마른 땅에 스며들 겁니다. 헐벗고 굶주려 큰기침하던 바람도 어느새 겨울잠에 빠져 유난히 길게만 느껴지는 폭풍한설로 마무리합니다.

이런 날은 깍쟁이 같은 현대식 건물보다 장독대마다 소복한 시골집 모락모락 연기 나는 굴뚝 군불 때는 아궁이와 따끈한 아랫목, 군밤 고구마 구워 먹던 화로 생각이 더 그립습니다. 겨울 장작 가득 쌓아둔 그 모습이 왠지 혹한의 겨울을 더 잘 이길 것 같은 생각입니다.

온 세상 폭신폭신한 솜이불로 덮이고 가지마다 흰 눈 꽃송이 비누 거품처럼 가지들 어루만지며 스러질 때 가장 아름다운 당신은 겨울을 남기고 떠난 자리 감성의 마음으로 돌아오겠지요. 눈 속 가지마다 숨은 봄눈이 땅속 깊은 속에 조잘대던 시냇물이 준비된 아지랑이로 피어오를 시간입니다.

당신에 의한 당신을 위한 당신을 향한 유쾌한 아침입니다.

달콤한 향기가 기다리는 그곳

머문 듯 가는 세월 겨울비 안에 봄을 깨우는 속삭임의 메아리가 들린 듯합니다.

봄 메아리 한 아름 안고 오는 님이 그리워진 그곳, 새봄이 오면 새순이 돋아나듯 새롭게 시작되겠지요.

시·간·여·행

따르릉 따르릉! 아침 기상시간 6시, 깜짝 놀라 일어나다 다시 주저앉는다.

한 시간 동안 출근 준비를 하며 부산하다. 여유있게 7시 30분, 집을 나선다. 오늘은 버스가 빨리 올까? 출근버스가 올 땐 편했는데 기다리는 시간, 가는 시간, 걷는 시간 – 잘되면 한 시간 안에 도착할 근무처가 가끔 출근 9시가 넘어서 도착한다.

거기다 회의나 조금 이른 시간 특별한 행사가 있는 날이면 왜 그리 늦어지는지 시간시간 계산을 하게 되어 조급하다. 오전은 더 빨리 지나가는 것 같다.

눈치 보며 서류정리 대충 했는데 벌써 점심시간이다. 주어진 점심 1시간 해결하고 부지런히 일을 시작한다. 회의하고 외부인들 방문하면 나의 일(?)은 그대로 남아 있다. 퇴근– 일 더미 남겨두고 조금은 쉬려고 집을 향한다. 다람쥐 쳇바퀴 돌다가 특별한 일 생기면 밤 시간은 어둡고 유난히 짧은 것 같다. 갑작스런 일도 시 간여행에 끼어들어 내 휴식을 방해하고 옛날엔 통금시간이 있어 그것도 제약이 된다. 지금은 낮이고 밤이고 시간의 느낌 없이 마 구마구 여행을 한다. 학교에선 수업하고 학생들 면담, 교재 정리, 행사 체크가 주된 일이다. 매일 일의 종류가 거의 같지 않으나 비 슷한 일의 되풀이, 그렇게 직장생활의 반세기를 훌쩍 보냈다. 제대 로 시간여행을 잘 한 건 초, 중, 고 시절 틀에 박힌 것 같아도 공 부로 제법 목적 있는 시간여행이 아니었을까?

대학시절 역시 시험에 정리되곤 했으나 조금은 자유로운 시간들 의 활용을 낭비했나보다. 그때부터의 시간여행은 내가 잘 단속했 어야 하는데… 매일 아침 출근하고 움직이는 시간여행의 시작은 6시다. 휴일은 뒹굴다 보면 시간이 빨리도 간다.

퇴직 후 생긴 증상이 자리에서 일어나며 오늘은 무엇을 할까, 무 엇을 하며 지낼까, 생각한다. 그동안 밖에서 일과 시간에 쫓겨 이 젠 한가할 시간이 남았다. 부지런한 어머니는 "에구 나이 들어서 도 시간밥 하기는 끝나지 않는구나" 하셨다. 어머니가 아침시간 밥하기가 멈추게 되면 내 삶도 막바지가 될 거란 말처럼 나는 다 행히 이젠 시간밥은 안 해도 되지만 규칙 생활을 하자면 주부란 어쩔 수 없이 할 일이 있다. 가정보다 직장의 동료가 더 오래 동거 인이라고 지금 정기적 시간여행은 집안일, 식사 준비, 집 안 청소,

빨래, 텔레비전, 전화하고 받고 손님 오면 대화하고 평범한 잡다한 일투성이다. 날 잡아 외출하는 날은 시간 시간 바쁘고 하루가 빨리 간다.

하루 한 분야 일이니 그 대신 집안일에 무언가 빠진다. 여행시간 줄잡아 80세까지 많으면 702,720시간 그래도 시간은 많은데 시간이 없다. 내가 허비한 시간여행 561,408시간, 그래서 생각한다. "20대까지는 더디 가던 시간이 20대 지나면 눈 깜빡이면 간다"고 하길래, "뭐가 그래? 하루 24시간, 365일은 똑같은데…", 믿지 않던 나! '젊어서는 무엇을 해야 할지 몰라 시간이 안 가는 것 같고, 나이 들어서는 하고 싶은 일, 할 일은 많은데 몸이 굼떠 안 따라주니 마음만 바빠 시간이 빨리 가나 보다'고 자문한다. 많은 곳을 여행하면 인상 깊은 곳이 남아 있듯 이만큼 여행하다 보니 삶에 익숙해져야 하는데 지금 남은 시간여행은 어떻게 계획을 세워야 할까? 하루 자고 나면 똑같지만 조금씩 다른 새로운 희망이 생겼으면 좋겠다.

#3 生의 뒤안길

숨바꼭질
육신은 편히 쉬어도 영은 살리라
혼자 사는 세상 아니다
꽃밭에는 꽃들이
어제, 오늘, 내일, 그리고 꿈
가깝고도 멀고도 가까운 길
엄마는 섬그늘에
그리운 금강산
공주와 무수리

CCC

사방이 막혀있고 각박하고 어려워도
가슴 훈훈하고 찡한 옛이야기 생각하고 사노라면…

숨바꼭질

한 미모의 여인이 있다. 어릴 때부터 예쁘고 똘똘하다는 소릴 듣고 자랐고 많은 재주가 있어 귀염을 독차지했다. 일정시대 말 소학교를 다닌 속에서도 눈이 초롱초롱 빛났다고 했다. 중학교부터 불행히 전쟁을 만나 어려운 속에도 여학교도 잘 나왔다. 정세로 가세는 점점 기울어 조금 고생은 하였지만 좋은 사람 만나 결혼하기까지는 그런대로 순탄하진 않으나 새 출발이다. 비록 재능을 다 발휘하진 못해도 아들 둘 낳아 행복한 새 세상을 만들어 잠시 즐거웠다. 두 아들 금이야 옥이야 한동안 제일 좋은 것만 가려주며 친정집에선 첫 손자라 외할머니는 발이 닳도록 뒷시중하러 동생들도 따라다녔다. 품안에 자식이라고 두 아들과 멋진 남편과 여행도 다녔던 그때가 제일 행복한 시간인 것 같다. 그러나 나라의 정세처럼 세상살이도 순탄한 길만을 보여주지 않는다. 세상살이가 순탄한 것만 아니란 건 알고 있지만 그래도 라는 희망은 가지고 산다.

행복이 불행이 무언지 구분 없어도 보통살림 살이도 경제적인 건 기본이 되어야 한다. 월급쟁이 하다가 작은 일에 뛰어들어 불경기 사업에 실패한 낭군은 서서히 빚더미에 올라 폐인이 되어간다. 여인도 경제적 도움이 되고자 발버둥치나 교통사고를 크게 당해 그 뒤로도 몸에 이상이 생겨 큰 수술 받고 행복하게 생각한 활기찬 모습은 비밀의 정원에서 날로 삶에 지쳐갔다.

지방에서 올라오신 시부모 모시고 두 아들 대학 보내기까지 고달픈 생활이 되었다.

이미 부모님들에게 손 벌릴 수도 없었고 손자들 돌봐주던 친정 부모마저 풍으로 쓰러져 고생하시다 후에 깨달으나 제대로 모시지 못했는데 그사이 양쪽 부모 모두 세상을 떠나셨다. 부모님들은 손주 결혼도 못 보고 바로 큰아들은 출가시켜 따로 나가 손녀 하나 있고 작은아들은 학생이니 어렵긴 했지만 아직도 해야 할 일이 있었다. 큰아들은 부모 모실 처지는 못 되고 자존심 강한 그녀는 남에게 자신의 처지를 드러내고 싶지 않았다.

혼자 사는 동생이 부모에게 못 해준 환갑기념으로 미국여행을 주선해 작은아들에게 환자인 남편을 맡기고 내키지 않는 발걸음이나 따라나선다. 여행은 때로 마음을 쉬게도 해준다. 지금까지 살아온 세상인 삶의 여행보다 다소 편안한 시간이 되기도 한다. 펼쳐지는 대륙의 정원에선 모두 행복하고 아름다운 꽃만 피는 것 같다. 동생은 관광버스에서 바깥 경치에 탄성을 하며 언니에게 얼굴을 돌리다 약을 한 보따리 싸안고 피곤한 듯 졸고 있는 한 노파의 모습을 발견했다. 나이보다 주름살은 없어 보이나 옛날 맵시를 자랑하며 활동성 있던 언니가 아니었다. 언니를 잡은 자신의 손도 예전의 곱던 손이 아님을 새삼 느끼며 씁쓸한 미소를 짓는다.

젊었을 때 바쁜 남편과 동행은 못해도 따로 합창, 연주 등 몇 나라도 갔었고 가고 싶던 곳 여행 다녀오고 잠시 마음을 추스린 듯 활기를 찾았지만 몇 년 후 낭군은 세상을 떠났다. 훤칠한 모습은 변하고 쪼들린 살림에 치료도 제대로 받지 못하고 누워 몇 년을 힘들어하다 창백한 모습에 처음 기절한 만큼 충격받아 한동안 정신을 잃었다. 교인이니 하나님 품에 편히 쉬리라 위로하는 말들로 차츰 다른 사람들도 당하는 일이거니 하고 마음을 추슬러 본다. 큰아들네는 멀리 나가 있고 작은아들은 옆에 있으니 그나마 위로가 된 듯하다.

남편 가고 몇 년은 힘들었으나 12년을 더 살아 움직일 수 있는 한 교회일 하면서 옛날의 즐거움을 찾으려 노력했다. 많지도 않은 두 동생과 특별한 날 만나 식사하고 동년배 어르신들과 어울려 각종 못해본 악기들도 다루며 발표회도 한다. 고전무용, 장구, 그림,

잘하던 노래는 목소리가 탁해지니 수화찬양을 대신한다. 남동생 초청해 관객이 되고 사진 찍어달라고 부탁하고 남은 시간 알뜰히 젊음으로 돌아간 듯했다.

그러나 80이 된 나이, 아빠, 엄마 병간호를 했던 작은아들네도 제 살길 찾아 떠났다. 다리도 말을 안 듣고 몸이 아파 입원을 하려 해도 보호자가 아무도 없고 아무도 찾아오지 않는 눈이 많이 쌓여 감추어진 빙판처럼 미끄럽고 추운 겨울이다.

인생이 100세 시대 되었다고 해도 말뿐이지 나이 들고 몸 아프고 주위에 아무도 없을 땐 사는 것이 기적이다. 가끔 동회에서 받는 보조금도 그나마 아들이 주민등록에 같이 있으니 조건이 안 되다가 작은아들이 이전하고 난 뒤 보조비를 겨우 받았다. 이따금 혼자 있는 동생이 자신의 생활비를 쪼개 용돈을 챙겨 언니가 걱정되어 반찬거리를 사 온다. 남들이 내 자식 못된 얘기를 하면 100세 노인이 70된 아들 '차 조심해라, 밥 먹어라' 걱정하듯 아직도 자식들 역성만 들고(너 자식 아니니 그러지 하고) 듣기 싫어 못 마땅해한다.

동생에게조차 구구한 얘기 안 하고 누가 왔다 갔는지 어떻게 사는지 얘기도 않는다. 한때 부탁을 못 들어주니 '너 혼자 잘 먹고 잘 살아라' 심통이 났는지 말도 않고 눈도 마주치지 않는다. 나이 들면 어린 아기가 되는지 노여움도 잘 타고 개방적이던 사람도 폐

쇄적이고 진보적이던 사람도 보수적이기 쉽다는 말이 맞나보다.

　자존심 강해 아프단 말도 안 하고 말할 사람 없으니 염치 불고 하고 유일하게 방문하는 동생에게 병원에 함께 가자고 했는데 바쁜 일이 있다고 거절당했다. 젊을 땐 친정엄마가 포근하니 두 아들 맡기고, 하고 싶은 사회활동으로 바빴는데 편찮아지고 나이가 들어가니 자주 못 가고 신경은 쓰였다. 엄마가 아프니 다녀가라는 여동생 말에 먹고 사는 일이 바빠 못 갔는데 쓰러지셨다. 요양보호사 교육을 받아 거동 못하시는 어머니에게 나름 머리 손질도 목욕도 해드렸고 조금 젊었을 때 부지런히 검소한 옛 어른들처럼 나는 이담에 엄마처럼 안 산다고 맘 먹고 움직였는데….
　자신도 똑같은 일을 당하는 것 같아 우울해져 여인의 길이 다 그런 건가 보다고 아픔을 참은 채 체념하며 산다. 갑자기 이상이 생겨 특별한 날 태어난 귀한 아들의 생일도 기억 못하고 끙끙대다가 이웃의 도움으로 병원에 실려간다. 며칠 후 상태가 악화되어 실신해 병원을 옮겨 병명을 알았어도 제대로 검사 받을 수 없고 치료할 수 없는 상황이니 중환자실에서 의식이 조금 돌아와 집에 가자고 떼를 썼다.
　모실 사람 없으니 그토록 싫어하던 현대판 고려장에 가야만 한다. 차를 타니 좋았는데 요양병원에 도착하자 동행한 동생 눈 쳐다보며 그나마 하던 입 모양 소리 없는 말 "고마워, 미안해" 오물

오물 말하고는 입을 꼭 다물어 버렸다. 엄마처럼 자식들에게 신세 지지 않으려 했으나 어쩔 수 없다.

요양병원은 제한된 면회시간에 별반 치료 없이 형식적 간병인들이 최소한의 간호로 껌뻑껌뻑 눈 감겨질 날 기다리고 있어야 한다. 추정된 1년이 6개월로 단축된 채 정말 무관심 속에 아무에게도 이별의 인사도 못한 채 하얀 침대에서 조용히 하늘나라로 여행을 떠났다. 장례식까지 오셨던 언니의 절친 두 언니가 '너희 언니 재주가 참 아깝구나. 아까운 친구야' 후에 감사 인사하려니 연락이 되질 않는다. 그 언니들도 몸이 안 좋다고 했는데 무슨 일이 생겼나 보다.

혼자의 길, 비밀의 정원에는 아직도 밝혀지지 않은 얘기가 많다. 삶의 모든 것이 기적이다. 목적도 의식도 없이 주어진 삶이라고 여러 모양으로 살아있는 것도 비밀이다.

육신은 편히 쉬어도 영은 살리라

6월이면 아픈 기억이 되살아 난다. 현충원 앞을 지나면 언제나 남겨진 숙제처럼 평생 맏아들 기다리며 사신 어머니의 아픔-6·25 전사자 유해 발굴 현수막을 보며 생각한다. 지금 세대들은 영화속 한 작품으로만 생각할 뿐 전쟁의 아픔을 실감하지 못하나 우리 세대는 그렇게 어머니의 평생소원을 들으며 간접적인 경험을 피부로 조금이나마 느낀다.

어버이의 자식사랑을 그 어느 것에도 비교할 수 없고 맏아들 잃어버린 그 심정을 어디에다 비기랴! 부모님 돌아가시고 나서야 생각하니 이조 말엽, 일제시대, 6·25, 8·15해방, 4·19혁명 등 그야말로 파란만장한 역사의 파노라마다. 내가 경험하지 못한 것을 어찌 표현할 수 있으리, 체험 못한 우리가 느끼며 상상하는 건 영화속의 한 장면 연상하며 그런 걸 토대로 되새겨볼 뿐이다. 어머니는 왠만한 고통은 다 체념하시듯 씩씩하시고 평온해 보인다. 가끔 어려운 일 닥칠 땐 "멀쩡한 자식 생이별하고 먼저 보내고도 사는 데…" 혼잣말처럼 하시곤 한다.

막 입대한 아들 둔 후배들 얘기를 들으니 세대마다 군의 행정도 다르다. 옛날 오빠들 시절엔 훈련소 면회 가기도 힘들었다. 남친 때는 가까운 곳에 배치받아 면회는 쉬웠다. 첫 조카 때는 배치받는 날 초청하여 훈련 시범도 보여주고 소속부대 면회도 가까운 곳 호텔 잡아 외박도 즐기게 하였다. 편지로만 가능하던 연락이 요즘은 훈련소에서도 핸폰 하는 날 연락도 할 수 있고, 훈련도 빡세게 안 하고 시간도 잘 가고 시범적 노래방 PC방 있는 부대도 있다고 한다. 애들 응원하고 가족들이 동영상도 찍어 보내고 웹 메일도 쓸 수 있고 부대에서 사진도 찍어 올려준다고 한다.

예전엔 없던 2개월 방위병도 있어 정말 달라졌다. 전쟁이 나도 어디서 영화 찍나? 할만큼 실감이 안 날 거라 했더니 전쟁 나면 엄마들이 무기 들고 대신 싸워줄 거라고도 한다. 이러다간 집에서 근무하게 되지 않을까? 했더니 PC방에서 전투를 대신할지 모르겠다고 농담 섞인 얘기지만 흘려들을 수 없는 일이다.

전쟁이 나면 옆에 가까이 있던 사람이 누가 적인 줄 모른다고 하는데 가까이 있던 동료의 고발로 항상 같이 숨어있던 당시 17세 고등학생이던 큰오빠가 끌려갔다. 회사에서도 일이 터지면 편이 갈려 결국 두 동강이 나듯 그건 현재 사회생활에서도 마찬가지인 것 같다. 아버지는 숨어계셨고 전쟁과 함께 공직은 제대로 마무리 못한채 쫓겨 다녔다. 한 살 차이 작은오빠도 같이 있었는데 키가 작아 남겨졌다.

어머니는 갓난이를 등에 업고 피난 갔다 상경해서야 큰오빠가 끌려갔다고 생각된 곳 교도소까지 다 찾아 헤매고 다녔다. 휴전 이후에도 혹시 남파되어 오는 사람들이 있으면 간첩이라도, 귀순한 사람이라도 있으면 혹시나 하고 기다리셨다. "너희 오빠는 똑똑하니까 그때 복막염 수술해서 끌려가다 쓰러지지 않았으면 살아서 저렇게 넘어올 수 있을 거야"며 희망을 버리지 못한다. 속 썩이고 매정한 아버지보다도 큰아들을 더 기다리다가 팔순을 넘기고 황해도에 있는 가족을 그리며 하늘나라로 가셨다.

둘째 오빠도 시대를 잘못 만나 체계적인 공부도 못하고 청춘 시절을 시달리다 젊은 나이 내가 사춘기 처음 죽음을 보게 된 일이다. 둘째 오빠가 군에 있을 때 꼬마인 나는 엄마가 불러주는대로 위문편지를 썼다. 죽음은 우리를 숙연하게 나의 삶을 다시 돌아보게 하는 통찰의 순간이다. 유족에게 하는 인사말 "뭐라 드릴 말씀이 없습니다" 하는 그 말이 위로가 될까? 호상이라고 해도 당해보니 그 앞에서 "잘 가셨네요", "잘 사셨네요"라고 할 수 없다. 종교적 하늘나라에 편히 계실 거란 말도 가슴 아프다.

이 사연 많은 아니 이곳은 목적이 비교적 하나였던 정의의 호국

영령들이 많은 곳이어서 더욱 나라 사랑이 가득한 장소가 된다. 육신은 죽어도 영은 살리라— 나는 오늘 문득 그동안 머릿속을 맴돌던 6·25 전사자 유해발굴을 위한 유전자 검사를 해보기로 한다. 이산가족 찾기는 못하였어도 부모님— 특히 어머니가 못 잊어 그리워하던 맏아들 하늘나라에선 만나고 있을 테지만 이런 일이 또 하나의 희망의 사건이 될 것 같다.

6월에는 또 한 분 먼저 떠나신 부모님을 대신하듯 종교계의 원로이시며 나를 이끌어주신 은인이며 스승을 생각하며 감사드린다. 모두 평안한 안식을 기도합니다.

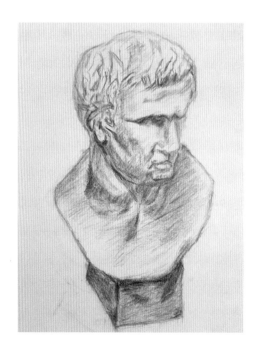

혼자 사는 세상 아니다

고아가 되어도 사회생활할 때 혼자이나 혼자 생활하는 건 아니다. 어차피 세상은 태어날 때부터 혼자이고 갈 때도 혼자 가는 길이긴 하다. 지금은 자립심이 강한지 혼자 생활하는 사람이 많아졌고 아직 혼자 생활하는 사람에 대해 관심이 많다.

전쟁 겪은 나라는 고아가 많고 드라마에서도 예전에는 혼자 있는 사람들은 생활전선, 결혼, 취직 등 여러 사회생활에 불편을 겪었다. 지금은 달라져 부모를 떠나 자립하는 일이 자랑이고 홀로 생활을 단독 프로그램으로 방송되나 좋게 안 보인다. 그건 한때 장애우를 그들의 뚜렷한 모습을 구분하는 것처럼 혼자 사는 것도 의아한 시선으로 반은 동정인 듯, 그들도 사정이 있건만 편파적 시선으로 궁금해 하고 구분하는 것 같다.

고리타분해도 청소년기는 부모 슬하에서 교육 제대로 받아야 한다. 점점 핵가족, 맞벌이 부부가 다수라 오롯한 가정교육이 제대로 지켜지지 못한다. 야생마가 달리 야생마인가? 대가족은 나름대로 힘들어도 서열 속에서 가정교육이 지켜지는 이로움도 있었다.

동물의 세계에서 하등 동물도 생애 목적이 제 새끼를 끔찍이 여기는 그것뿐이니 부모의 역할을 충분히 하고 죽는다. 어미를 잃은 새끼는 요행 살아도 거의 자라지 못한다. 그 일족이 거두는 동물도 있고 남의 둥지에 알을 낳는 뻐꾸기는 생태적으로 주인의 알을 밀어내고 자신이 살아남는 모순도 있다. 그런 동물의 세계가 인간의 모습과 다르지 않다.

옛날에는 무남독녀, 외아들도 별로 좋아하지 않았다. 한때 산아제한으로 딸 아들 구별 않고 제한된 수로 권장했고 이제는 셋 이상을 장려금까지 주어 출산케 해도 젊은 세대는 키우며 살기 힘들다는 핑계로 하나는 커녕 자녀를 두려워하고 거부한다. 결과인지 지금은 고령화 사회가 되어 젊은이가 귀한 세상이 되었다.

고령화의 독거노인도 실제 국가에서 그것까지 돌볼 수 있는 배려 못하고 특별한 날이나 방송에 떠도는 선행의 소식은 있어도 그건 어쩌다 볼 수 있는 일이고 혜택 못 보는 홀로의 인생이 많다. 어쩌다 그리된 사람도 있고 선택하는 사람도 있어 요즘은 혼밥이니 혼술이니 재미처럼 유행어를 만들어 내는데 그것이 오히려 더 강조하는 말처럼 들린다. 어린아이가 성장할 때 자립심을 길러 주기 위해 '혼자서도 잘 해요' 하는 것처럼 허세를 부리듯 그만큼 혼자의 생활이 많아져 오히려 그런 환경은 사회생활을 더 이기적인 면으로 끌고 가는 것이 된다.

혼자 생활은 단체에서도 남의 배려 못한다. 나이 들면 특히 독거노인은 자신과 같이하는 사람 없으니 자신만을 생각하는 행동이 자연스레 몸에 익어진다. 가족이 있을 때는 '손이 안으로 굽는다'고 내 팔 안에 가족생활이었고 꼭 돌보아 준다는 것보다 몸도 마음도 나약해져 자신 하나 살기 힘든데 다른 사람까지 배려할 여유가 있겠는가? 그런 생활이 지속되면 습관처럼 나 하나만 생각으로 굳어진다. 그래서 지방은 더불어 모여 사는 곳도 많이 생겼다.

젊은이도 아직 젊어 움직일 수 있으니 홀가분할지 몰라도 숫자상으로 편할 뿐 모든 일을 혼자 결정하고 처리하고 움직이는 건 쉬운 일 아니다. 오히려 누가 간섭하지 않아 좋고 재촉하는 사람 없어 편하다는 건 무책임으로 무인도에서 혼자 생활하는 사람 일 거다. 옛날에도 무인도나 외딴섬은 죄인들의 귀향지고 지금도 자유롭고 싶어 하는 사람들은 그런 생활을 즐긴다.

즐긴다는 건 한가한 사람의 생각이지, 시간 생활하던 사람들은 나태해지고 느긋해질 수 있고 어쩌면 자연인으로 돌아가기를 갈망하나 농경지 시대가 아닌 움직이고 무언가 일을 해야 하는 신세대 산업시대 자본주의 세상에 살면서 그게 가능한 일일까? 그건 오히려 옛날 권세 누리며 하인 두고 살던 무능한 세상으로 되돌아가는 것과 마찬가지다.

윗자리에 오르는 사람이나 정치인들은 그 자리에 앉게 되면 안하무인으로 거드름을 피우고 자신의 명령만을 고집하는 기분으로 시끄럽게 살고 있는가? 단체의 장은 자신만의 단체이기 전에 모든 사람이 함께 생활하며 합심하여 발전을 이루어야 하는 곳임을 잊고 있다. 정치인은 더 나아가 국민을 대표하는 건 자신도 국민이니 불편한 일을 어떻게 개선할지 자신만의 주장이 주가 되어선 안 되는 것이다.

어쩌다 여성 대통령도 혼자이고 보니 난항을 겪고 있다. 불상사로 부모를 잃고 성년의 나이 국모 노릇을 대신했으니 여성이지만 국정에 어느 정도 분별이 있으리란 기대가 엉뚱한 면에서 기상천외한 나라의 속내를 세계에 드러내고 말았다. 여성이기 때문인가? 혼자였기 때문인가? 어이없게 그 불행의 직접 원인도 여성이고 그 영향 때문인지 대국인 미국도 거의 확실시되던 여성 대통령 당선이 좌절되었다. 우리나라 북한에서도 여성 대표 자리가 불안한 듯 무시하는 태도를 보인다. 그러나 그 덕분에 사회단체도 여성이 힘을 얻고 홀로인 사람들도 여성도 중직을 갖게 된 곳도 많건만 역시 속담처럼 여성의 목소리가 담을 넘으면 안 되는 것인가? 반대도 많지만 여성 대통령이 선출되고 허세적인 쓸데없는 일은 안 하리라고 생각했고 또 혼자이기 때문에 직, 간접 혈연에 관계된 일도 안심하고 남다른 기대를 했었다.

말로는 다 알면서 떠들어도 혼자 사는 세상은 역시 아니다. 함께 살아야 하는 민주주의의 삶이 되어야 한다. 지금 현실도 몇몇이 앞장서 전 국민의 뜻인 듯 우롱하며 너무 민주주의를 역이용해 시끄러운 세상을 만든다. 민주주의의 정의는 민주주의 democracy의 어원 demos(민중)와 kratos(지배)의 합성어로, 즉 '민중에 의한 지배'라는 뜻을 나타낸다. 역사적으로 근대 이전의 국가들은 대부분 왕정이나 귀족정의 형태를 가졌다. 즉 집단을 다스리는 주체가 1인 혹은 극소수에 불과한 정치 형태가 일반적이었다고 볼 수 있다.

예외적으로 고대 그리스의 도시 국가인 아테네는 시민 전체가 참여하여 중요한 일을 결정하는 민회라는 의사 결정 기구가 존재했으며, 추첨제나 윤번제를 통해 모든 시민이 공직에 나아갈 수 있었다. 이와 같이 다스리는 집단과 다스림을 받는 집단이 일치하는, 즉 치자治者=피치자被治者인 정치 형태를 '민주주의'라고 한다. 물론 고대 그리스 아테네의 시민이란 성인 남자 자유민만을 의미하는 특수 계급으로, 여성, 노예, 외국인이 제외되었다는 점에서 제한적인 형태의 민주주의였다는 한계점이 있다.

근대 시민 혁명기 이후에 다수의 민중은 피지배 계급이 아닌 정치의 주체로 자리를 잡게 된다. 시민, 즉 국민 스스로 국가의 정책 결정에 참여하는 정치 체제인 민주주의가 오늘날 대부분의 국가에서 보편적으로 적용되는데, 지배 계급의 억압과 착취로 개개인의 자유와 평등이 침해되는 것을 최소화함으로 인간의 존엄성을 수호하는 것이 민주주의의 궁극적인 목적이라고 볼 수 있다. 그런데 대표로 선출된 사람들은 그 자리에 서면 본분을 잊고 행동한다. 아니면 너무 민주주의여서 혼자의 이기적인 생각과 행동이 앞서 자유와 방종이 되는지 모르겠다. 공산주의도 동조하는 이들이 있어 혼자 이루어지지 않는다.

오래전 외국으로 이민 간 후배가 때로 고국이 그리워 돌아오고 싶고 발전하여 흐뭇한데 이젠 이상한 일만 생겨 가슴 아프다고… 나라가 있고도 없던 시대와 동족상잔의 아픔을 겪었던 어르신들은 이산가족이 되어도 민주주의 내 나라가 있음을 감사하며 산다. 어디가 잘못인지 아직도 우리는 민주주의의 궁극적인 목적, 인간의 존엄성이 와전되어 혼자의 이기적 생활로 근래에 와서 더욱 혼탕, 혼란의 세계로 범벅이 되고 있다.

냉정한 이성의 책임감으로 합창과 협연의 어울림을 찾아야 한다. 수수방관해 내 영역만 구축해 남의 핑계 대며 빠지는 혼자 가는 혼자 사는 세상 아니다. 삶은 코미디의 유행어가 아니다. 군중 속에 고독이듯 함께 가는 세상 사회생활인 망망대해 일엽편주로 직계나 믿을 이 없는 사람이 사면초가 일을 당할 때 혼자 결정해야 하는 어려운 순간은 모두 당하고 살지 않는가.

꽃밭에는 꽃들이

　꽃과 가축 기르기를 좋아하신 어머니, 자랄 때 우리 집 마당은
꽃이 가득했다.

　집을 옮길 때마다 꽃 화분은 따라왔고 좁아진 아파트에도 개가
함께 산다. 그 개는 어머니 가시기 전 몹시 울었다.

　이른 아침 80세 할머니는 움직이는 오른쪽으로 나무 목발 짚고
아침을 준비한다.

　환갑 때 잘 지나야 노후 건강하다는데 건강히 지내던 중 넘어져
발목이 꺾이고 70세엔 충격으로 하루아침 뇌졸중이 중풍으로 왼
팔과 다리가 마비되어 오늘에 이르렀다.

　아침 일찍 두 손녀는 학교 가고 오늘도 새 며느리는 막내아들 데
리고 외출한 사이 점심 차려줄 사람 없으니 서둘러 부엌으로 나왔

다. 나이 드니 금방 배가 고프다.

매일 고정 반찬 콩자반, 멸치볶음, 깍두기는 틀니도 헐거워져 못 끼고 입천장이 벗겨져 먹을 수 없다. 지팡이 의지해 한 손으로 반찬 만들기 힘들고 물렁물렁한 두부나 계란프라이를 손자와 먹는 걸 보았는데 다 먹었는지 보이지 않는다. 오랜만에 방문한 할머니의 사촌이 사 온 고기도 맛 뵈듯 주고 끝이다.

밥도 딸들 시켜 주고 두 딸 학교 가고 난 후 문과 마루를 탕탕 거리며 한바탕 화풀이를 하고 싸움을 거니까 문 닫고 방에 앉아 있어도 무섭고 심장도 두근두근 속상한 마음에 온몸이 벌벌 떨린다. 전 며느리 딸 둘이 학교에서 돌아와도 엄마에게 혼날까봐 눈치보여 방에 못 온다. 하소연할 곳은 막내딸 뿐인데 방에서 대화하는 걸 엿들어 전화도 간섭해 제대로 할 수 없다. 오기 전 얼른 먹고 막내딸 생일이 가까우니 좋아하는 김치 해서 오라고 전화해야 하는데 한쪽만 움직이니 쩔뚝이며 마음만 급하다.

아, 참— 얼마 전 엄마에게 고분고분하던 고등학생 큰손녀가 초등학생 막내 왕자를 그동안 잘 봐주다 어쩌다 말을 안 들어 머리를 쥐어박아 남자애라 대들며 싸웠다.

엄마가 한바탕하고 친아들 두고 그동안 귀국한 남편도 능력 없으니 이것저것 핑계로 집을 나갔다. 그래서 애들도 집안일 다그치는 엄마 없으니 할머니는 자기편이라 좀 편히 학교생활 하느라 늦는다. 할머니도 한잠 편히 잔 후라 그 사실 잊고 그 몸으로 점심인지 저녁인지 버릇처럼 부엌으로 나왔다. 아직 막내 손자도 지 엄마와 밖에서 따로 만나는지 올 시간 지났는데 안 온다.

　할머니 고향 이북 집에는 앞뒤로 초원이다. 그 옛날 계속하고 싶은 공부 막고 꽉찬 20세, 지인 중매 내세워 재촉하는 손 귀한 양반집에 시집와 3남 5녀를 낳았다.
　일정시대 태어나 학창시절 일본교육 공부도 제법 했지만 주부의 주된 업무는 집안일이다. 남편 직장 따라 시부모와 두 아들과 남쪽으로 내려오며 난리를 겪어선지 위로 큰딸과 터울진 아래로 아들과 막내딸만 남았다. 대대로 이어진 1남 2녀, 서모 시어머니 두 시누이 시중들고 외 며느리자 맏며느리로 시집와서부터 지금까지 시간밥 하고 집안일로 손에 물 마를 날 없다. 출가하면 시부모 공경 남편 시중 자식 크면 자식 눈치 옛날엔 그랬다. 조선시대 긴머리 한복에서 일정시대 단발령에 양복 생활로 변해도 쪽진 머리로 지내 신식여성 따라 외도도 많았던 시대, 막내가 초등시절 아이들이 할머니 왔다고 놀릴까 봐 학교에 가지 않았다. 양반집 특히 여성들은 집안을 잘 지켜야 했다. 전쟁 이후 큰아들 납치되고 정세 바뀌고 사업하다 빚쟁이에 피해 다니는 남편을 있다고도 없다고도 못한 채 살던 집 줄여가며 생활비 교육비를 바느질로 연명하다 장성한 둘째 아들도 아버지 대신 부담이 큰지 병으로 잃었다.
　시집와 살림만 하던 사람이라 다른 주변없으니 형편이 바뀌어

세 들어 살던 친척, 동생집 등 부엌일 해 주며 막노동만 안 했지, 타고난 손재주로 할 수 있는 건 다해 가정을 지켰다.

한때는 풍족했으나 시대를 잘못 만나 전쟁과 고난 속에도 외도하는 양반집, 만나면 애들 몰래 숨죽여 싸운다. 경제사정 외면한 채 빚쟁이 몰려오면 가출하여 숨어버리는 남편, 딸들에게 하는 말이 "남편이나 아들은 있어도 도움 안 되고 없으면 허전해지는 울타리 같은 것이다." 그래도 자식 사랑만 희망으로 다행한 건 시아버지 조상부터 이어진 종교적 믿음으로 남편은 교회 출석 안 해도 아이들과 그런대로 오순도순 모든 어려움을 이겨냈다.

자식 낳아 출가시키면 부모 역할 다 한 줄 알았는데 되풀이되는 삶은 그걸로 끝 아니다. 부지런히 움직이던 육신도 쇠약해져 자식도 잘 돼야 서로 편한데 한쪽 부모가 부재인 집은 잘 된 집도 있지만 아무래도 이상이 있는 경우가 많다.

아들 선호이던 시대, 남편은 있는 듯 없고 경제력 없는 노모도 병약해졌는데 하나 남은 귀한 셋째아들 뒷바라지 잘못해도 기대했고 일찍 자원 군입대하고 잘 견뎌 제대한 아들은 효도한다고 젊은 나이 장가갈 일을 만들었다. 큰딸이 살림 꾸려가다 겨우 결혼할 때도 남편은 모르쇠였고 외손 하나 낳고 신혼인데 남동생 결혼도와 작은 생활터까지 꾸며주고 따로 살림 내주고 두 손녀가 생겼다. 손녀 재롱에 동요와 가요, 찬송 부르며 잠시 웃고 살았다.

사업한다던 아들, 경험 없어 첫 운영 접고 젊어선지 매일 말다 툼하다 노모집으로 들어왔다. 며느리가 빚 얻어 장사하더니 어느 날 싸우고 잠시 집을 비운 사이 빚쟁이가 왔다. 벌벌 떠는 엄마를 대신해 싸움 못하던 막내딸도 떨리는 몸으로 머리채 끌며 싸움한다. 무관심한 아들은 그동안 무슨 일이 있었는지 눈치를 챈 며느리가 나타나 느닷없이 어머니에게 사정하며 울며 매달려 노모와 막내는 그럴 리가 없다고 했는데 어쩔 도리가 없고 가슴에 대못만 박혔다.

얼마 지나 무작정 집안일 할 사람 없다고 새 여자를 데려왔다. 막내딸이 생활전선에서 겨우 풀칠하는 형편인데 어쩌자고 외도한 아버지보다 한 수 위로 7세, 5세 두 손녀를 떠안고 새 며느리를 모셔야 하는 상황이다. 오죽해서야 딸 둘에게도 끝까지 같이 살아줄 것도 아니면서 그런 기미가 보이면 보따리 싸서 나오라고 했는데 귀한 내 아들이- 정말 남자 마음을 이해할 수가 없다.

자신이 죄가 많은 못난 어미로 괴로워하나 사랑의 매 한번 들지 않고 기른 다 큰 자식들 어찌할 수도 없는 일이다.

그렇다고 집안일 할 모습도 아니고 서류정리도 안 된 처지에 오는 날부터 시끄럽더니 그 일 이후 철없는 아이들 대꾸에 두 손녀를 버릇 가르친다고 차별하니 할머니는 친에미가 손주 야단쳐도 싫은데 두둔하다 싸움되니 할머니는 날로 쇠약해졌다. 이따금 들려 생활비 얘기하면 바람같이 사라지고 들쑥날쑥하던 남편, 노인은 나이 들어 초췌한 병든 몸으로 나타났다. 사태가 좋지 않은 때라 만만해서 퍼붓는 할머니 원망으로, 마침 솜씨 닮은 막내가 만들어 둔 남방 입고 집을 나가 소식이 없어 결국 생사를 모른다. 풍문에 교통사고로 가셨다지만 찾을 수 없다. 이북에서 같이 온 많지 않은 시집 친척들과 특히 두 시누이는 팔이 안으로 굽는다고 오빠의 행동은 생각 않고 남쪽에 와 부모 대신 돌봐준 할머니(올케)만 원망하며 미워한다.

할머니가 힘들어하자 큰딸은 시부모가 계셨지만 어쩔 수 없어 잠시 모셨다. 아들은 또 헤어졌다며 두 딸과 누나 집에 따라 들어와 살더니 어느 날은 아들을 낳았다고 한다.

할머니는 작은딸 있으니 아들과는 함께 살지 않겠다 하고 큰딸은 더이상 관여하고 싶지 않았다. 아들은 당연히 다시 두 딸과 합쳐 따로 살게 된다. 두 손녀도 가끔 할머니 집에 놀러 오다 엄동설한 어느 한밤중 일을 시켰는지 야단을 맞았는지 쫓겨났는지 할머니랑 살면 안 되느냐고 초등학생 어린것들이 찾아왔다. 그 애들 맞아들이고 싶지만 어차피 부모와 살아야 하고 할머니가 많이 쇠약해지셨다. 작은딸은 애들을 사는 집에 데려다 준다. 할머니는 그것들이 불쌍해 작은딸에게 '너 신세 안 지고 내가 동냥해서라도 그것들 키울 거다' 모질게 말하고 힘들어하더니 며칠 후 하룻밤 체기로 쓰러져 중풍이 왔다.

할머니가 쓰러지자 큰딸은 시부모가 계셨지만 어쩔 수 없어 또 모셨는데 오른쪽만 움직이며 얼마큼 걷게 되자 큰딸에게 미안해 작은딸 있는 집에 가겠다고 걸음 연습하다 넘어져 고관절 수술하게 된다. 할머니 마음은 너무 괴로웠다. 사돈 보기도 죄송하고 그 사이 외국 출장 갔던 사위가 돌아왔고, 그동안 회사 사택에 살던 큰딸은 집을 옮겨야 한다.

이사 가며 친정 식구를 정리하는데 매형 소개로 외아들은 외국 기술자로 취직하여 떠난다. 다시 새 며느리와 할 수 없이 손녀 걱정하는 할머니와 작은딸은 함께 살게 되었다. 따로 살겠다는 막내에게 "그래서 그렇게 잘 모셨냐"고 큰딸은 핀잔을 준다.

아들 하나 낳아 의기양양한 새 여자는 전에는 건강했으니 원인은 무엇이든 중풍으로 쓰러진 시어머니가 자기를 구박해 벌 받았다고 새로 이사 간 동네에 온갖 거짓 소문내고 매일 싸움을 건다. 전실 딸—초등생 아이 둘도 자기 맘대로 일 시키며 할머니와 고모는 안중에 없다. 자기는 아들 데리고 의기양양 매일 나가고 집에 있을 땐 둘이 무언가를 해 먹고 아들이 보니 말없이 할머니를 골탕 먹이지 않으면 잠을 자는지 몹쓸 궁리하는지 조용하다.

할머니는 창살 없는 감옥에 앉아 움질움질한 손으로 청소하며 이도 눈도 움직임도 성치 않지만 자신 때문에 불쌍한 손녀들과 유일하게 생계유지인 작은딸 피해 입을까 움직일 수 있는 한, 한 손한 발로 서랍장 딛고 일어나 오른손 팔꿈치와 오른발은 온통 굳은 살이 박혔다. 큰딸은 이따금 들르니 그런 형편 자초지종을 모르고 얘기해도 직접 당하지 않으니 믿지 않는다. 그즈음 큰딸도 사정이 안 좋았고 큰 교통사고를 당했다. 어느 날 파리한 몸으로 작은딸 따라 문병 가보니 죄 많은 어미 만나 미안하다.

할머니는 타국에서 고생하는 아들 생각에 불쌍하고 눈물만 난다. 그 핑계로 여자는 애들한테는 아빠가 고생하니 돈 아껴야 한다고 잔소리한다. 애들 옷도 반찬도 없이 생활비는 어찌 쓰는지 흔한 콩나물, 두부도 없다. 그동안 막내딸이 도와 집안 살림 지탱했는데 자신에게 돈 안 내놓는다고 밥도 남기지 않아 할머니는 겨우 주는 밥 한 공기와 못 먹으면 고대로 주는 정해진 반찬을 막내 위해 반을 남긴다. 옛날 동화에서나 읽던 몹쓸 일들이 현실이라 할머니는 기도만 할 뿐이다.

국제 전화료도 비싼 그때 자신이 시비걸면서도 수시로 남편에게 울며 하소연하니 아들은 영문 모르고 어머니의 안부도 없이 그저 잘해 주라고 하며 타국에서 아프다는 아들 말에 가슴이 북받쳐 목이 메이고 툭하면 울보가 된다. 이 몸으로 뭘 어쩌겠나.

그 여자가 아들 데리고 교회 간다고 핑계 대고 어디론가 나가면 밥을 굶어도 할머니 마음은 편하다. 전에는 웃을 일도 많았건만 이 여자가 온 후론 할머니의 유머도 사라졌다. 명절도 좋은 날도 없어 시비만 안 걸면 좋겠다. 왜 그렇게 살아야 할까?

할머니는 가고 싶어도 못 가는 교회를 핑계 대며 나가는데 교회를 가긴 가는지, 교회를 다녀 그 정도인가? 교회 가면 무슨 기도를 할까? 그 여자도 앞일이 불쌍하다. 가끔 동생네 간다 하고 오기도 하니 친정은 있는지 부모는 인사 한번 오질 않는다.

그만한 내 딸이 있어 함부로 못 하고, 할머니는 사위에게도 하대를 못 하고 막내딸 친구에게도 반말을 못 한다. 나이 들어 자리 양보하는 젊은이도 내 자식 같아 사양한다.

귀한 아들 네 살 때 잠든 걸 깨워 피난 다니느라 지금도 재주 많은 자식들, 예술하느라 삶의 안정을 못 잡는 것 같아 불쌍하고 큰딸이 제 집살림 신경 써야 하는데 백년손님 사위 보기도 미안하고 죄가 많다.

더불어 할아버지도 시대를 잘 못 만나 힘들었고 생사도 몰라 불쌍한 생각이 든다.

할머니는 막내와 손주들 불쌍해 참고 막내는 어머니 불쌍해 참고 자신은 챙겨주는 엄마라도 있지, 조카들 안쓰러워 참으며 산다. 직장 나가 집안일 못해 미안해 하는 막내에게 시비 걸고 아침마다 할머니 세수 시키고 옷 갈아 입히고 굶어 출근하는 막내를 못살게 시비 걸어도 행여 심장 약하고 불편한 어머니 어찌 될까 상관 않고 하고 싶은 이야기 글로라도 쓰라고 볼펜과 노트를 준비해 할머니는 성경 쓰듯 하소연을 썼다. 아들이 귀국하면 보여준다고 그간의 속 모르는 사정 이야기도 써간다.

　그런들 무슨 소용 있나, 귀국을 철통같이 믿고 사랑한 내 아들은 계모 며느리 말 듣고 유일하게 의지한 막내딸마저 시비 걸어 내쫓으니 할머니는 피눈물이 흐른다. 아들 외국 가기 전 엄마를 모셔야 하니 같이 살 집 장만했는데 큰딸은 그 여자 이름으로 해놓아 자기가 아껴서 집 장만했다고 귀국하자 막내 몰래 직장과 먼 곳에 집 구해 이사한다. 그리고는 애들이 커가니 거처할 곳 없어져 나가라는 얘기다. 어쩌면 잘된 일이다.

　일주일마다 먹을 걸 싸들고 오는 막내딸, 해마다 생일축하했는데 그해 생일 잊은 채 막내가 들어오는 소리도 듣지 못하고 누워 있다. 부르는 소리에 얼굴 돌리는 순간 초점 잃은 흰 눈동자가 막내를 본다.

　그동안 식구들 끼니 위해 움직이던 어머니 그나마도 운동이 되지 않을까 위안을 삼았다. 휠체어를 사서 동네 산책하자고 하니 "너희들 병신 엄마 광고할 일 있냐?"고 자식들에게 피해 없이 곱게 하늘나라 가는 게 소원이다. 미안해하며 자식들 생각만 하신 어머니, 일어서다 미끄러져 몇 번을 넘어졌을까? 일이 있을 때마다 아픈 데 있으면 얘기하라고 했건만 말할 곳 없었다.

　입원 날, 식사하러 숟가락 든 유일한 오른손은 방향을 잃고 헤맨다. 뒤늦게 큰 병원으로 옮기려니 의사는 여기저기 쭈그러진 뇌는 더 이상 가망 없고 그 연세와 그 몸으로 지금껏 지탱하신 것이 기적이란다.

화사한 봄날 부활절 아침이다. "창밖에 꽃들이 다 피었겠다." "그럼요 얼른 일어나 꽃구경 갑시다." 40여 일 입원하고 오락가락 하다 가끔 막내를 보며 눈시울이 붉어져 "걱정하지 마 하나님이 다 돌봐 주실 거야" 안심시키려 하니 "예수님도 때로는 울기도 하셨어" 울먹이신다.

유품 정리하며 어머니의 일기 − '예수님은 상관없는 사람 위해 고난 받고 십자가에 못 박혔는데 불쌍한 자식들 위해 이런 사소한 일쯤이야 감당 못하랴' − '사랑하는 내 아들아, 죄 많은 어미 만나 잘 해 주지 못해 미안하구나, 형제 의를 다 갈라놓고 나까지 없어져 너희들이 편해진다면 기어서라도 나가 길거리 동냥이라도 해야겠구나, 내 아들이 편해진다면'− 모두 불쌍하고 미안하다.

살아계실 때, 가시는 길에도 사랑한다는 말을 한 번도 못 했다. 매번 꽃만 꽂아 드렸는데 이제는 추모관으로 옮기니 그것도 소용 없다. 어머니는 무슨 꽃이 되셨을까?

어머니 가신 후 흰나비 한 마리 날아와 어머니 잠자리 옆 옷장을 두루두루 어루만지듯 날아다니다 날아갔다. 어느 틈으로 들어왔다 날아갔는지 비몽사몽이다.

어제, 오늘, 내일, 그리고 꿈

유난히 맑은 여름날 하늘에 구름에는 또 다른 세계가 보인다.

오늘은 얼마나 더운 날이 될까? 아프리카에서 피부가 검어질 만큼 쨍쨍한 햇빛이어도 대서양에서 불어오는 바람 때문인지 그늘에선 견딜 만한데 우리나라 기후는 습기로 온몸이 끈적이고 땀에 절어 더 후줄근한 느낌이다.

아직 조금 젊었다고 주변에 병약한 나이든 가족이 있을 때 여름엔 이 더운 여름을 어찌 지낼까? 겨울엔 추위와 미끄러운 길 조심해야지 어쩌나… 걱정이다. 지팡이에 쩔뚝이는 모습 아른거려도 차일피일 못 보니 미안한 채 몇십 년 보낸다. 가까운 사람들이 지상에서 하나둘 저 하늘로 옮기니 내 걷는 걸음도 한발 한발 달라져 간다.

언제나 이별의 자리엔 새삼스럽게 그분의 공적이나 여정의 흔적과 함께 내 자리에서 지금까지 무엇을 위해 살아왔나 되뇌어 보는 건 나만의 생각일까.

　어릴 때 군 위문편지를 위해 어머니가 불러주는 받아쓰기로 한
글을 익혀 어린 동생 챙기던 오빠는 일기쓰기 검사를 한다. 그리
고 초교 6년 담임 선생님은 나의 잠재적 소질을 개발해 주신 분이
다. 돌아보니 멋모르고 백일장을 선두로 무언가 끄적거린 시작이
고 사춘기는 문학소년 소녀 아닌 사람이 있을까? 그땐 나름 주변
환경에 불만이 많아 인간관계를 이해하려고 라디오 연속극 청취
가 열심이고 닥치는 대로 책 읽어 〈책벌레〉 소리 들을 만큼 밤새
워 소설 등 많은 책을 다독하였다. 만남이 중요하다는 말처럼 중1
첫 백일장에서 받은 시 주제는 〈의자〉다. 쉽게 외워지던 시로 산유
화, 꽃, 사슴 등 유명 시인의 작품을 그냥 좋은 것만 즐기던 시절
에 그 시제는 참 어려웠다. 첫 방학숙제로 개인문집 전교에서 나
하나 착실히 제출해 그림 그리고 꿰매고 페이지 붙여 수작업으로
책을 만들어 시선을 끌고 백일장 등 참여하고 뚜렷한 목표 없어도
하고 싶은 건 참 많았다. 한 우물을 파야 물이 솟아나올 텐데 보
이는 〈게 구멍〉 마다 쑤셔보니 갯벌은 참 넓었다. 이제 보니 넓은
갯벌만큼 소재는 많고 처음 그림 그릴 때도 무얼 그릴까 고심하지
만 눈에 보이는 모든 세계가 그림이며 글이다. 아니 영화로만 보던
외국풍광들과 비교해 작다는 우리나라도 여행하니 이 세상 모두
신비한 예술세계다. 이 만큼 산 동안에도 세상은 변화무쌍인데 이

제야 이걸 다 내 눈에 보여진 삶을 남기고 싶은데 어찌 표현할지 모르겠다. "인생은 작은 인연들로 아름답다" – 피천득

글도 그림도 꾸밈과 구성이 문제로 미사여구 없는 솔직한 구성과 순수한 마음으로 쓸 때가 시원하게 막힘없이 하나를 만들 때도 있다. 몇 번 다듬어도 끝이 없고 만족한 완성까지는 안 되더라도 부족한 듯 그렇게 하나씩 전달되기를 바란다. 그림도 재료에 따라 차이는 있지만 여러 번 덧칠할 때도 있고 고칠수록 난해하고 어두워지기도 한다. 수채화 붓질은 한 번 선택한 색감과 붓질이 참 중요하다. 그림의 세계도 정형화보다는 개성의 표현으로 개방되었다. 글에서도 개성표현이지만 계속 수정하여 탈고를 하고 활자화 된 후 잘못된 문장이나 단어가 틀린 걸 발견하면 좀 부끄럽다.

농부는 거칠어 보이는 논밭에 잡초를 뽑고 갈고 다듬어 이곳저곳 뿌려진 씨는 쭉정이가 아닌 한, 썩어 새 생명을 잉태하고 지상을 뚫고 갖가지 산물을 생성시킨다. 잡초는 솎아 내긴 해도 온갖 자연의 생태계도 하나도 중요하지 않은 것이 없다. 모든 글쓰기도 이것과 다르지 않다. 개성은 남겨 두고 껍질은 벗겨져도 토 하나도 중요하다. 어차피 모든 사람들의 삶이 기초 이야깃거리가 되나 주저리주저리 적나라하게 드러내는 넋두리는 지루하다. 짧게 쓰면 시로 함축미가 있어야 하고 길게 쓰면 소설이 되기도 하나 그런 면에서 수필은 이 두 가지를 절충시켜 비교적 가벼워 보일 수 있으나 이것이 까다로운 일면이다.

삶의 여정은 갈수록 사연이 늘어가는 이유 있는 변명이듯 써야 할 이야기는 많다. 어떤 작가는 책을 발간하고 싶지 않단다. 글 작가 화가가 아니라도 나름 심혈을 기울여 분신으로 탄생된 작품집이 푸대접받으면 마음이 언짢다.

읽혀지지 않는 책, 범람하는 책, 전자 시대로 밀려 책을 등한시해도 눈에 보기 쉬운, 필요하면 잡게 되는 게 책이다. 글쓰기도 욕심을 버리면 편안해질 것 같다. 남에게 잘 보이기 위한 일? 사소한 정리도 필요하다. 단 한 번의 경기나 공연을 위해 오랜 연습을 하고 한순간의 실수로 낙담이 되는 경우보다 글쓰기는 여러 기회가 있다. 매일이 같은 날 같지만 연속된 다름이듯 연습도 반복된 실전처럼 경기는 편안한 마음이 필요하다.

피천득 선생님의 '조화를 읽지 않는 범위 내에서의 파격'이란 말이 항상 남아있다. 여러 장르의 선생님과 수업했고 글쓰기에 정해진 길은 없다. 세상에 한 걸음씩 길은 하나인데도 여러 모양으로 움직이다 끝나는 길은 역시 하나다. 여러 모양의 움직임이 꼭 같지 않으니 그게 남겨두고 싶은 이야기가 된다.

아직도 어려운 시제이나 '의자'에 앉아 점점 오랜 일은 추억처럼 기억해도 어제 한 일은 깜빡이니 일기 쓰듯 쉽게 지워가며 스케치하고 고칠 수 없는 한 번의 붓질인 수묵화나 수채화로 단장하며 다듬어 간다.

가깝고도 멀고도 가까운 길

지나간 추억은 아름답다는데 믿지 못할, 믿고 싶지 않은 기억이 있을 땐 때로 고통이다. 지나면 별 것 아닌데 그 순간은 왜 그리 참기 힘든지 커가면서 무심히 잊어가도 상처를 받은 기억은 가물가물 올라온다.

무심코 던진 말 한마디로 순간의 감정적 해를 입기도 하고 여성들은 고부간의 갈등이 으뜸이고 들풀, 꽃 이름에 며느리와 시어머니 관련된 이름도 많다. 혈육을 나눈 형제자매끼리 질투가 많아선지 말다툼을 해도 쉽게 풀어지지 않는다. 드라마에선 자매끼리 한 남자를 사이에 두고 연적이 되는 소재도 심심치 않게 나오는데 정말 여성의 적敵은 여성이 될까?

부모님 계실 때는 부모님과 함께 화목했고, 철 모른 어린 시절은 경제적 여유가 없어도 남은 건 즐거운 기억인데 잘되는 집도 있으나 성장기에 들어서 각각의 길 가며 갈등 생기고 웃음 사라져 큰일을 당할 때마다 남은 막내는 형제 많은 집을 부러워한다.

부모님은 자식에게 방 안 따스한 곳을 내주고 차가운 곳에 앉았고, 길을 갈 때에는 수레에 앉히고 말을 끄신다. 부모님이 돌아가시자 의지할 곳은 투닥거리면서도 많지도 않은 형제자매다. 부모와는 다르게 자신들 가족이 있기에 서로의 이익을 위해 조금 거리는 있으나 형제자매 우애는 표면으로 지속된다. 가까운 거리 이웃 사촌보다 혈육이라는 생각에 조금 더 믿어선지 서운한 점도 있고 의지하는 마음은 있다. 먹고 자는 자잘한 일부터 생사에 관련된 중대한 일까지 부모같이 살뜰하진 않아도 집안 경조사는 시간 내어 모이기를 힘쓰긴 했다.

은연중 윗 형제에게 의지하게 되나 은발 되고 점차 경제사정이 나빠지면 형제간에도 틈이 벌어져 예전에는 같이 나누던 기쁜 일은 자기끼리만, 온갖 근심 스런 일은 남에게 미뤄버리는 경우가 된다.

형은 아우를 벗으로 잘 대우하고 아우는 형을 공경하는 '형우제공'이 옛말이다.

형우제공兄友弟恭은 나이 차가 큰 형제간은 부모자식간 버금감. 가깝고 서로 의지하며 화목하게 지내야 함. 형제자매 간에 우애 있게 지내는 것은 효의 실천이 된다. 어떤 이유나 조건 없이 서로

격려하고 기쁘게 하고 만남과 관계를 좋게 하기 위해 형은 아우를 벗으로 잘 대우하고 아우는 형을 공경하는 이른바 '형우제공'의 자세인 거다.

종교적 용어로 형제자매는 기독교 성경에 하나님 안에서 한 형제자매로 표현한다.

우리말에 '업신여기는 나무에 상투 걸린다'라는 속담이 있다. 아무리 보잘것없는 사람이라도 소홀히 여기지 말아야 한다는 것이다. 진실로 하나님을 사랑하고 하나님의 예언자를 사랑하는 신앙인은 형제(자매)를 업신여기지 않는다.

兄弟에 관한 여러 나라 속담이나 격언에서 우애보다 다툼을 소재로 한 게 더 많다. 유태인 속담에 적敵이 되고 만 형제는 그 어떤 적보다 심하다는 말이 있다.

터키에선 '형제 사이도 돈에서는 남'이라 하고, 한술 더 떠 일본에선 형제는 남이 되는 시작이라고 한다. 성경에도 동생을 죽인 카인이 등장하는 걸 보면 골육상쟁은 인간에게 내재한 원초적 본능일지 모르겠다.

骨肉相爭… 우리는 이 말을 우리와는 전혀 상관없는 다른 세상 딴 사람들의 이야기인 것처럼 생각한다. 간혹 사람들 입에 오르내리는 재벌 간의 추태도 그들과 개인적인 관계가 없는 사람들에게는 아득히 먼 다른 사람들 이야기로 간과한다. 우리 주위를 보면 이것이 남의 얘기만은 아니다. 권력과 재력에 관한 한 父子도 없고

兄弟도 없이 상대를 죽일 때까지 투쟁하는 것을 역사책 몇 페이지만 들쳐 보아도 안다. 만만한 부모.형제.자매.도 없다. 이른바 골육상쟁이다. 가슴 시린 友愛를 무색케하는 예가 한둘은 아니나 그 중 많이 알려진 것 중 하나가 曹操의 두 아들 丕와 植사이의 骨肉간 싸움이 알려진다.

燕巖 朴趾源의 글에선 가슴이 찡한 형제의 우애─ 형님을 여읜지 얼마 안 된 연암이 燕巖憶先兄이라는 애절한 시가 있다.

我兄顔髮曾似　　우리 형님 얼굴은 누굴 닮았나
每憶先君看我兄　아버지 생각나면 형님을 보았지
今日思兄何處見　이제 형님 생각나면 그 누굴 보나
自將巾映溪行　　시냇물에 내 얼굴을 비추어 보네

그 얼굴 떠올리니 형님은 아버지를 많이 닮았었지. 아버지 돌아가시고 난 뒤 그는 형님을 의지하며 살았다. 아버지처럼 생긴 형님을 아버지처럼 기댔다. 이제 그 형님 가셨으니, 형님 생각나면 누굴 보느냐고 한숨 쉰다. 그러다 바로 내 얼굴 거기에 형님의 얼굴이 있다. 형님과 닮은 내 얼굴을 보며 형님을 생각한다. 평범한 말 같지만 형님이 나의 분신, 내가 형님의 분신이었음을 일깨운다.

어려운 말 없이 툭툭 이어간 이 시는 닮음이 일깨우는 그리움이 숨어 있다. 대신 보아야 할 얼굴을 왜 찾을까, 왜 필요한가. 내 얼굴에서 죽은 형님의 얼굴을 보는 그 마음엔 고통조차도 따뜻함이 보인다.

지금도 천지 사방 둘러보면 죽기 살기로 싸우는 모습이 너무 많다. 모두 恨맺힌 사람들로 보여 살짝만 건드려도 즉각 폭발할 것 같다. 사방이 막혀있고 각박하고 또 어려워도 그럴수록 가슴 훈훈하고 찡한 옛 얘기 같은 것들 가끔 생각하고 살아가노라면 다소간 도움이 되지 않을까?

가족의 가치는 가족의 특징 그 자체로서 가치가 된다. 사회의 유지 자녀를 출산하고 양육하여 다음 세대를 이루게 하는 것, 경제적 기능 한 단위의 가정이 재화를 생산, 소비함으로써 구성원이 생계를 유지하고 풍요로운 삶을 추구한다. 심신 안정 조건 없이 사랑하는 사람들과 함께 의지하고 안식할 수 있는 공간이 제공된다.

사랑하는 가족 속에서 작은 사회로서 사회생활에서 다른 사람과 함께 더불어 사는 기본 예절과 도리를 배우고 문화의 계승과 지난 시대의 생활 양식을 자연스럽게 배우고 익히게 되는 게 기본 이론이다.

그러나 말하기는 쉬운 이런 사항들의 극히 작은 돌이 빠져나가듯 질서가 무너지니 생의 거리는 가깝고도 멀고 멀고도 가까운 길이다.

엄마는 섬 그늘에

바다가 삼면인 제주도 바닷가 바위 사이 네 살, 여덟 살 어린 남매가 쪼그리고 앉아 낚시한다. "오빠 고기 왔어? 오늘은 어떤 거야? 고구마 먹어 엄마가 쪄 준 거야" 오늘따라 맘에 든 고기를 못 잡았는지 오빠의 얼굴이 찡그러진다. "조용해 고기가 도망가잖아" 한 손으로 고구마를 먹으며 한 손엔 어디서 구했는지 낚싯대 비슷한 걸 잡고 작은 고기 버들치를 잡았던 기억이 사진에 남아있다.

아버지는 서울 계시고 어머니는 서른여덟 나이 조카 셋과 아이들 넷 데리고 큰 해군 군함 타고 제주도로 피난 왔다. 집에서 살림만 하던 주부가 싱거미싱 하나 머리에 이고 낯선 곳 아무도 모르는 제주도에서 잘 하는 건 요리와 바느질 뿐이다. 백일 좀 넘은 갓난이 등에 업고 삯바느질하다 아이가 크니 집에 남겨두고 동네 사람들 따라 한라산 기슭 고사리 뜯으러 가기도 한다.

그때는 오지나 다름없었을 섬— 날씨야 서울보다 따뜻하지만 불을 때야 하는 아궁이, 온돌이 시원치 않은 차가운 흙바닥 방에서 시골 생활에 익숙하지 못한 아이들과 어찌 살았을까? 돼지우리 위에 가서 볼일 봐야 하는 일, 작은애들은 혼자 갈 수 없고 큰애들이 작대 하나를 가지고 따라간다. 돌담 사이로는 가끔 뱀들도 지붕을 타고 나온다고 했다. 삼다도라서 여자들 삶이 두드러진 곳이라 다행이었을까.

중학 언니와 큰오빠들은 그 덕에 수영을 배웠다.

바느질 이래야 큰 옷 뜯어 작은 옷 만들어 주는 일— 옛날엔 옷감도 질겨 뒤집어 만드는 일— 사실 새 감으로 만드는 그것보다 그게 더 손이 가고 귀찮다. 그래도 남은 천 모아 조각으로 아기 옷 만들어 입히면 그걸 보고해달라고 주문이 오고 행랑채 방 하나 얻어 '밥거리 어망'이라 명명되어 돈보다 물물교환 고구마, 감자, 곡식을 받아먹고 살았던 촌지 생활— 인심은 좋았다는데 자식들 때문에 끼니는 제대로 때웠을까.

피난 오기 전 서울에서 그 난리 통에도 곡식은 차곡차곡 감춰 두고 남이 볼 땐 강냉이죽으로 연명했다던 알뜰한 황해도 댁, 여기서도 그렇게 살다 마침 어머니같이 보살펴 주던 교회 여전도사님 소개로 보육원에 자리 잡게 되고 큰 자식들은 서울이 수복되어 고등·대학교로 보내야 할 판이라 먼저 상경했다. 피난처에서 피난민 학교에 다니니 임시 계속 수업은 되었지만, 언니 오빠들 교육이 문제였다. 언니 오빠는 그 시절 이곳저곳 힘든 공부를 했다.

어머니는 뒤에 남았다가 먼저 올라간 언니 오빠들 성화에 2년 뒤 막내를 데리고 겨우 서울로 왔다.

무엇이나 풍족하면 어려울 때 생각 못 한다. 어려운 시기는 갖지 못한 것에 더 애착을 갖게 되는 건 웬 심술인지…. 언니 말에 의하면 이상하게 어느 곳에 정착해 사는 곳이 개발이 안 되다가 떠나면 그곳이 개발된다는 거다. 계속 건설 중이고 재건시키고 있는 나라이니 어쩔 수 없지 않은가. 살아 있는 한 사람도 자꾸 개발시키고 충전을 시켜야 그나마 지탱할 수 있는 것처럼 그래서 서울은 포화상태이고 항상 마당 넓은 전원주택을 그리워하셨다.

어릴 때 앞뒤 마당에는 여러 가지 꽃이 피었다. 앞동산에는 나무들이 우거지고 작은 연못 앞에는 해마다 꽃대를 쭉 올리며 하얀 백합, 나리꽃 난초 등이 피어 아름답다.

크리스마스엔 아버지는 대문 옆 집안 화단 높은 소나무에 어머니와 아이들을 위해 교회 새벽 송 성가대가 볼 수 있도록 솜씨 좋게 나무로 성탄등을 만들어 전등을 연결해 달아주셨다. 집은 떠나있어도 가족은 물론 친척집 애경사를 잊지 않고 찾아 신경 써주시는 분이셨다.

너른 뒷마당 그때 기억나는 철따라 각종 꽃이 피고 꼬꼬닭(접시

꽃) 이름도 만들어 붙이며 친구들과 또는 혼자서 종알종알 소꿉놀이도 재미있다. 꽃꽂이도 하고 그림도 그리며 오빠들 도움으로 집 벽 골목 굴뚝 옆 시원한 곳에 돗자리 깔아 작은 칠판도 매달고 작은 공책 만들고 학교놀이를 했다. 둘째 오빠는 군에서 휴가 오면 군용 배낭엔 항상 건빵과 배급받은 화랑담배를 가득 담아와 어린 동생들 간식이고 동네 어르신들 선물이다. 그때만 해도 과자가 귀한 때라 동네아이를 모이게 하고 골목대장 되어 어깨를 으쓱 댄다. 집 앞 큰길 인도는 오빠가 항상 싸리비로 청소해 그걸 보고 동네 사람들은 오빠가 온 줄 알고 반가워한다.

어머니 따라 꽃을 좋아하고 여학교 시절까지 동물왕국이기도 하다. 지금은 변해버린 세검정 과수원 동네는 방문 열면 사면에 푸르른 과수 나무에 철따라 꽃과 열매가 가득하다. 병아리도 예쁘다며 길러 사위 오면 암탉 잡아준다고 하고 아침마다 쏙쏙 알을 낳던 닭을 보니 그땐 계란도 고급 반찬이니 고맙고 그것도 못할 짓 같아 한동안 닭을 못 먹었다. 제주도 살던 이웃도 비둘기 한 쌍을 선물로 데리고 왔다. 어쩌다 토끼도 선물로 왔고 어머니는 고향 생각이 나신 것일까, 농사 짓진 않았지만 옛날엔 거의 넓은 초원 집에서 살았으니 어머니는 항상 마당 넓은 집을 소원하였다.

작은오빠는 개를 좋아해 강아지를 안고 차에 태우지 않으니 순진하게 노량진에서 세검정까지 걸어왔다. 또 한 마리 명견은 스스로 우리 집에 들어와 나갈 생각을 안 하고 눌러 앉아 두 마리의 생산이 20마리까지 되었다. 처음 무서워했으나 강아지들이 어찌나 예쁜지 그 이름을 내가 다 지었다. 지금은 반려동물로 개를 존중하지만 다 어찌 길렀는지 모른다. 순진한 순종 개 누렁이도 몸집은 커도 얼마나 착한지 그 모습 눈에 선하다. 여름이면 어찌 알고 개를 사러 오는데 그런 날은 개들도 심기가 불편한지 눈치 보며 어디론가 숨어있다. 겨울이면 그것들 먹이 때문에 오빠와 나는 열심히 세검정 언덕 오르내려 시장에서 간식을 준비하느라 힘들었다. 덕분에 등산 준비 운동을 한 건지 후에 등산에 무리가 없다.

오빠는 입대해서도 식구들 안부보다 개 안부가 먼저다. 담이 없으니 개들이 집을 지키는데 어느 날 작고 날렵한 스파니엘 명견이 몸집은 작아도 누군가 노려 달려드니 참변을 당한 듯하다. 오빠에게도 섭섭한 말을 전해야 하고 나도 모르게 섧게 울어 지금 애완견들 애지중지 하는 것처럼 그때도 사랑하는 이를 이별한 것같이 서러워한다고 어머니는 씁쓰레하며 핀잔하신다.

먹고 사는 일이 그리도 바빠 생전에 어머니를 모시고 제주도를 가지 못했다. 그게 아픈 못으로 박혔다. 제주도 비행기 타 보는 것도 대단한 일이라 섣불리 엄두 못내고 81세 세상을 떠나신 후에 벼르다가 달랑 남은 삼 남매 여자들만 제주도를 갔다.

마침 큰조카가 그곳에 자리 잡아 관광겸 가서 언니가 기억하는 피난민 중학교 친구가 살고 있던 그 집을 찾았다. 집 앞에는 자가용도 있는데 토담집 초가 사이로 개발된 신도시가 있어도 우리가 살았던 행랑채 방 모습 그대로 남겨둔 상태다. 방을 열어보니 기막히고 눈물이 앞을 가린다. 그 앞에 그때 내 나이 다섯 살 난 여자애가 서 있다. 지금 결혼 안 한 사람도 수두룩한 38-43세 나이, 저 조그만 흙토담 행랑채 방에 갓난이부터 초, 중등, 고교생2 다섯 아이와 삯바느질하며 춘지 생활했을 어머니, 지금 그 상황을 당한다면 견딜 수 있을까?

부모님은 이조시대 末을 거쳐 일정시대 덕분에 외국어도 자동으로 배우고 교육받고 남편 발령지따라 북쪽에서 남쪽으로 내려와 6·25동란 겪고 다른 문화도 접하고 이로운 일도 있었으나 내 나라면서 남의 나라로 살아야 하는 현실은 당해 보지 않으면 모를 것 같다. 좁게는 내 집을 떠나 다른 집으로 시집가서 사는 일, 나아가서 내 나라 아닌 이민 가서 사는 일, 외국에서 직장생활 하는 일, 고향 떠나 타지에서 생활하는 일로 비교할 수 있을까?

나이가 들어가는지 요즘 들어 많은 생각이 난다. 아동대는 남모르는새, 10대는 덤벙대는새, 20대는 뭔지 모르는새, 30대는 정신없는새, 40대는 뭔가 해보려는새, 50대는 마음이 바쁜새, 60대는 느긋해 지는새, 70대는 후회도 하는새, 80대는 추억 되새김 하는

새, 90대는 한숨 짓는새, 새 이름 붙여보니 전깃줄이나 나무 위에
앉았다 휘리릭 날아가 버리는 새 같다. 90까지 갈 수 있을까?

그리운 금강산에서

북한 땅이라야 겨우 강원도 고성 비무장지대를 지나 북측(그곳에서는 이렇게 부른다.) 지역의 고성군 남한타운이라야 맞을 것 같다. 다행히 가시 철조망은 아닌 푸른색 제한길 따라 우리의 염원인 금강산의 아름다운 가을 풍경을 보게 되는 행운으로 기대를 하고 떠났다.

우리의 설악산은 아름다운 단풍이 조금 있는데 그곳도 단풍이 남아 우릴 반겨 주려나?

아침 일찍 출발해 남한에서부터 출발한 버스가 그대로 그곳까지 간다고 한다. 옛날엔 해안일정인데 지금은 조금 편해진 육로의 길이 복잡한 정치상황 아닌 그냥 통일의 길로 가는 길이면 더욱 좋을 것 같다. 더구나 개성 가는 길도 열렸는데 백두산까지면 더욱 좋았으리라 하는 욕심도 가져보고 개성도 가 보고 싶다. 이북이 고향인 사람에게는 가고 싶은 길, 우리도 원적이 황해도이니 가보고 싶어도 못 가는 부모님도 그렇고 어린 시절 방학 때는 시골 고향집을 찾아 여행을 떠나는 친구들이 무척 부럽기도 했다.

벼르던 길 11월 9일부터 2박 3일, 점심 때쯤 강원도 고성 최북단, 화진포를 지나 남측 출입사무소를 거쳐 공항처럼 출발 준비를 하고, 조금 더가니 그래도 몇 번 여행했던 통일 전망대가 보이는데 그곳이 최전선이다. 고성 통일전망대에서 바라보기만 하던 해금강의 한 부분을 버스를 타며 지나니 감개무량이다. 군사분계선 지나 비무장지대를 지난다. 북측 사무소에 도착하니 왠지 긴장감이 들고 마음이 이상해져 모두 조용하다. 비까지 내린다 하고 하늘색이 잿빛이라 마음이 공연히 심란하다. 조금 더 가니 오른쪽에 바다가 보이고 우물쭈물한 사이 통일전망대에서 북한이라고 보던 해금강 바위인 듯 모습이 보인다.

자연은 말이 없건만 강원도 고성은 남북이 갈라져 있고 남쪽과 북쪽의 산야는 차이가 난다. 남쪽의 강원도는 산에 나무들이 많은데 북쪽의 언덕들은 나무도 없고 민둥산이다. 왜 나무를 모두 잘라버렸나? 가는 도로 양쪽에 초록색 제한표시의 철조망이 있다.

남측 사무소에서 동승한 2박 3일 안내 여 승무원이(자신은 남한사람이라고 밝히며 농담을 한다. 북측에서는 조장으로 호칭한다고 한다.) 가는 길에 보초 병사들이 있는데 반갑다고 손을 흔들어도 그들은 근무 중이니 무뚝뚝하게 답례가 없을 것이라고 했다. 그래도 웃으며 손을 흔들었지만 흔들던 손이 미안하다. 거의 도착할 즈음 비가 내리고 우리의 숙소인 온정리 지역에 도착했을 때는 바로 저녁을 먹을 시간이다.

숙소로 지정된 곳에 짐을 놓고 근처 식당에서 한식 뷔페를 먹고 북한의 자랑인 교예공연을 참관한다. 옛날에 동네를 시끄럽게 하던 서커스 공연 같지만 더 진보된 예술적 기술로 한 시간 동안 손에 땀을 쥐게 하는 묘기들에 우린 계속 박수치기에 여념이 없다. 여기엔 남북이 없고 예술만 존재하는 순간으로 아마도 이 시간만은 남북의 마음이 하나일 것 같은 생각이다. 무대 옆 오른쪽 이층에 자리한 악단 인원도 그리 많아 보이지 않는데 공연에 맞춰 연주하는 음악은 아주 훌륭하다. 아낌없는 박수를 쳐주고 나오면서 마음은 여러 가지가 섞여 복잡했지만 북한은 어쩌면 남한보다도 고집스러울 만큼 우리 것을 잘 보전하고 있는 것 같은 생각이다.

금강산! 등산로 입구로 가며 말로, 노래로만 듣던 이곳, 안내원 말로 일만이천봉인지 세어보지 않았다고 하는데 첩첩이 보이는 산은 한참을 가도 끝이 없을 듯 일만이천봉일 것 같다. 아침 일찍 시작한 일정은 입구에 식당이 있어 금강산도 식후경이라고 해도 시간이 이르니 모두들 바로 등산을 시작한다. 입구엔 아직 단풍이 남아 있고 아름다운 풍경에 모두들 사진찍기 바쁘다.

봉우리는 부러울만큼 아기자기하게 많고 남한이 자랑하는 설악산은 그 줄기 막냇동생인 듯하다. 우리 일정의 목적된 곳은 돌아와 생각하니 맛보기 밖에 안 되는 구룡연 코스인데 오르고 오르며 경치에 취해 구룡폭포와 상팔담에 올랐을 때는 필름을 계속 갈아 끼워야 할 만큼 진도도 더디게 오른다. 사진인들 표현 못할 이 아름다움을 다 담을 수 있으랴! 마음대로 올 수 없다는 것도 가슴이 저리도록 서글프다.

수려한 산, 자연이 다 그러하듯 말로는 설명할 수 없는 아름다움의 산은 바로 금강산을 표본으로 두고 말한 듯하다. 중국의 산들은 너무 뾰족뾰족하여 험악하기도 하고 장엄하고 미국이나 호주의 산은 광활하게 넓은데 우리의 산이라서 그런지 이렇게 아기자기하면서도 아름다운 이것이 바로 우리나라만의 아름다움이다.

금강산 관광이 몇 년 전부터 열렸는데 발표된 글을 많이 보지 못했다. 왜 그랬을까 아직도 남북한의 이미지가 조심스러운가? 아니면 무엇이라 아름다움을 표현할 말이 부족해선가? 등산하며 우리네 남한 산들이 제멋대로 등산해 몸살을 앓고 있게 하듯 금강산도 많이 드나들어 여기서 더 훼손되지 않을까 하는 우려도 생겼다.

하기야 별로 반갑지 못한 것으로 여기저기 조각된 것이 보이긴 한다. 남한산도 보존한다고 여기저기 손을 대어 제대로 남기지도 못하고 이상하게 되어버린 설악산!

금강산의 계곡을 보면 오래전 수학여행을 했을 때 설악산의 신선했던 모습이 생각난다. 지금은 변해버린 우리 산의 계곡도 옛날에 저런 모양이었는데 생각하니 〈그리운 금강산〉 가곡의 가사가 더 마음에 와 닿으며 가슴이 뭉클하다. 바라보아도 또 보고 싶은 금강산을 다 못 보는 아쉬움도 남겨야 했다.

마지막 날 주일이라 새벽에 교회를 가기로 한다. 그리고는 교회 가는 사람은 아침식사는 시간이 없어 못할 것이라고 한다. 일행 중 몇 명 희망자는 저절로 금식 새벽기도가 되어 버렸다. 가보니 남한측 직원 교회인 듯하고 '금강산 교회'라고 주보도 있고 목사님 이름도 있고 주일이니 새벽기도회는 없는지 안 보인다. 우리 일행 목사님이 즉석 설교하시고 같이 간 학생이 사회를 보았다.

남측 출입사무소에서 유인물 책들을 모두 통제시키는데 이곳 교회는 우리가 쓰는 통합성경찬송이 있다. 서울 평안노회의 도장이 찍혔다. 어쨌든 적은 인원이나 이곳에서 예배를 드릴 수 있는 것이 정말 기쁘다. 우리는 선교와 신앙에 대한 찬송을 여러 장 찾아 불렀다. 북한 땅에서 찬송을 마음대로 부를 수 있는 것도 마음은 어느 때보다도 뜨거워진다. 목사님의 즉흥 설교로 창세기 33장을 교독하고 야곱과 요셉의 이야기를 하시며 사랑의 마음을 가져야 한다고 말씀을 전하신다. 다른 어느 나라보다도 그래도 북한이라는 땅에서 예배를 드리게 되니 비록 그곳 주민들과 함께 한 자리는 못 되었지만 마음은 기쁘다.

오래전 본 뮤지컬 북한실상의 현실을 그려진 내용이 떠오른다. "하나님 아버지 하늘에서 이 기도 듣고 계시지요! 남조선에만 계시지 말고 이곳에도 오셔서 우리를 구해 주소서!" 하던 주기도 뮤지컬 가사가 생각난다. 찬송가도 가지고 올 수 없었던 이곳 비록 콘세트로 지어진 교회는 우리 숙소에서 신호등 없이 30분쯤 떨어진 곳 직원 숙소인 듯한 콘세트 구역 한 구석에 묻혀 십자가 하나 달려 있었다. 불교 사찰은 금강산 입구에 〈세신사〉라고 크게 증축되어 보인다. 남한 조계종 스님이 와 계시고 얼마 전 그곳 현지 스님도 한 분 계신다고 한다.

'하늘에 계신 아버지! 아버지의 뜻이 무엇인지 알 수 없지만 할 수만 있거든 속히 이 현실을 평화의 세계로 이끌어 주옵소서. 아버지의 나라 이 땅에 임하게 하소서! 자연은, 산은 그대로인데 어찌하여 만물의 영장인 사람은 자연을 닮지 못하고 주여 속히 이 어리석은 사람들을 깨우쳐 주옵소서, 저들은 저들이 지은 죄를 알지 못합니다. 용서하소서.'

식당과 교예공연 외에는 마주칠 수 없던 남북 사람들, 몇 몇 장사하는 사람들, 산의 요소를 지키는 사람들, 설명을 하는 안내원들과 말을 건네기는 해도 학생들과 함께라서 마음으로 조심스럽다.

먼발치에서 서로 동물원 원숭이 구경하듯 서로의 행동을 경이로운 듯 보아야 하는 현실, 이것이 현재 대한민국 남과 북이다.

공주와 무수리

피아노 건반 두드리는 우아한 모습 반가운 분을 만나 반길 공주– 예쁜 손

가녀린 손가락 보석 반지 반짝이며 진분홍 메니큐어로 접대하는 모습 나비가 춤 추듯 사뿐사뿐하다. 때로는 식사 준비하고 설거지 쓰레기 수거하고 청소 걸레질 빨래하기 이곳저곳 널려진 것들 정리하지, 더러운 것 묻을까 맑은 물에 말끔히 씻고 물방울 톡톡 무엇이든 만지고 가지고 만들고 물건도 들어 옮기는 많은 일 한다.

어느 날 피곤한 온몸 부드럽게 마사지하며 맨 아래 힘들게 일하는 무수리를 본다.

하얗고 잘빠진 버팀목 모습 변해 온통 힘줄 투성이 제멋대로 뭉뚝 튀어나온 뼈는 노동의 아픔을 보여주고 그 마음 알아준들 제

할 일 정해있는 걸 어쩌랴.

　중앙집권 명령에 옮겨질 때 자신만 의지하는 신체 생각, 힘들어 잠시 비틀거리면 온 몸이 쓰러지고 무너져 버린다. 걷고 안고 버티고 설 수 있는 막중한 무수리의 임무와 운명에 냄새나는 발은 공주에겐 없는 보호망이 되는 양말과 구두는 준비되어 있다.

　갑자기 눕게 된 어머니의 애잔한 모습 중앙 왕국에 이상변화가 공주와 무수리 기능을 차단시키고 쓰러진 건 어머니만이 아니다. 주변의 모든 활동이 점차 마비가 된다.
　잠들고 깨고 움직여지는 내 몸의 신비한 능력 어딘들 귀하지 않을까, 손과 발의 역할 또한 귀중한 보배인데 닳지 않는 자동인형인 줄 안다.
　핸드폰도 충전이 필요하건만 자연 입력된 전동능력이라 생각하고 마구 낭비하다가―
　삶이란 게 무언지 어머니는 '죽으면 썩을 몸 아껴서 무엇하랴'고 가족을 위해 여왕이 머슴과 무수리로 무쇠인간처럼 움직인다.

　건강을 위한 등산이면서 몇 번이나 엄지 발톱 빠지고 이상 생겨도 조금 참으면 나으니 지나친 일이 나이 들어 무릎 관절 고통 팔 부상당한 뒤에 손, 발 귀중함을 안다.

손, 발에도 온 몸의 기능이 잠재해 가끔 공주와 무수리 신분 차이 깨고 서로 보듬고 마사지해 주면 좋을 것을, 미세한 이상신호들을 막을 수는 없지만 사는 동안 믿고 의지할 것 많지 않은 세상에 오로지 믿고 의지해야 할 손과 발에게 미안하다.

꽃도 나무도 뿌리는 어두운 땅속에 묻혀 온갖 벌레와 싸우며 힘든 일 해내고 가지와 잎 꽃들은 내일을 위해 하늘거리며 벌 나비 모으기 총력을 기울인다. 이젠 무슨 변화인지 벌 나비도 예전같이 없지만 바람에 의지해서라도 서로 맡은 일 충실히 공주와 무수리로 자연의 순리대로 살아야 하는 세상이다.

이 세상에 공주와 무수리는 많다. 일에 만족을 못 느끼면 쭈그러진 손과 발을 보며 한탄을 계속할 수밖에 없다. 손과 발에도 온 몸의 기능이 있으니 작은 증상에서도 보이지 않는 신체의 어느 부분 이상을 찾을 수 있다.

우연히 손과 발을 검색해 보니 〈손과 발〉이라는 단체의 표어가 보인다. '손 내밀면 사랑, 손 잡으면 희망, 손 모으면 하나' 그 단체는 대안 특별 교육, 안전마을 순찰단, 학생동아리 사업, 나눔 이웃, 문화사업, 평생교육원 사업으로 손 발 사명의 좋은 일들인 것 같다. 우리의 손과 발, 입은 저마다 하느님께서 바라시는 대로 쓰여야 한다.

때로 손이 폭력을 휘두르는 도구로… 발이 헛된 곳으로 빠져드는 수단으로… 입도 다른 이들에게 상처를 주는 도구로 쓰일 때가 있다. 이러한 의미에서 바로 우리의 또 다른 영적 장애인 모습이다.

내 손과 발로 무엇을 할까 - 시인 안도현의 노랫말이다.

세끼 밥 굶지 않고 나 혼자 등 따뜻하다고 행복한게 아닙니다
지붕에 비 안 새고 바람 들이치지 않는다고 평화로운게 아닙니다
내가 배 부를 때 누군가 허기져 굶고 있습니다
내가 등 따뜻할 때 누군가 웅크리고 떨고 있습니다
내가 아무 생각 없이 발걸음을 옮길 때 작은 벌레와 풀잎이 발 밑에서 죽어갑니다
남의 허물을 일일이 가리키던 손가락과 남의 멱살을 무턱대고 잡아 당기던 손아귀와 남의 얼굴을 함부로 치던 주먹을 거두어야 할 때입니다

가진 것을 나누는 게 사랑입니다
사랑해야 우주가 따뜻해집니다
내 손을 행복하게 써야 할 때입니다
내 발을 평화롭게 써야 할 때입니다
어린이들도 노래한다.

손바닥을 짝짝짝 박수 치세요 손바닥을 쭉쭉쭉 높이 드세요
반짝반짝 빛나는 나의 손바닥 꼬물꼬물 춤추는 나의 손바닥
하나님이 예쁘게 만드셨어요

발바닥을 콩콩콩 뛰어보세요 발바닥을 쿵쿵쿵 높이 드세요
반짝반짝 빛나는 나의 발바닥 꼬물꼬물 춤추는 나의 발바닥
하나님이 멋지게 만드셨어요

공주와 무수리인 손과 발은 인간세상의 고귀한 생명체의 표상이
다.

ㄱㅅㅇ

#4 시간의 메아리

CCC

생의 모습은 똑같이 맞춰놓은 시계가 제멋대로 가듯
일정한 말 없는 말을 남기고 어느 곳이든 함께 어울릴 수 있을 때
우리네 생은 행복하다

봄, 기다리는 마음

아침에 눈을 뜨면 또 하루가 시작된다.
반복되는 일들이 어디가 시작인지 구분 안 돼도
정해진 원통 속 24시간 하루가 돌아간다.
신기하게도 날이 어두워지고 해와 달이 뜨고 지고
어쩌다 의식없이 이른 잠을 자면 바깥의 어둠이
밤인지 아침인지 잠깐 혼란도 있다.

그렇게 종이에 인쇄된 한 달 한 달이 가고
정해진 양 바깥세상 변화에 따라
사람도 나른한 기운부터 기온의 차이로 환경을 바꾼다
똑같은 일상에서도 눈에 띄지 않지만
같은 행동과 몇 년은 해 지난 같은 옷을 입어도

조금씩 다르다.

어린아이가 성장하는 것처럼

어쩌면

20대 이후는 가속도의 수레바퀴로

움직일 수 있어 세상의 할 일도 많아지는지

반면에 할 일을 제때 못찾아 무미건조한 시간도 있다.

이후엔 머릿속에 가득한 일의 진행들이

눈 어두워 손발 떨려 기억이 가물가물 진도를 내지 못한다.

앉아 있는 것도 기적으로 어제 일을 기억 못해도

공부할 때가 따로 있어 그때 익혀 두었던 기초 학문, 기술

가장 또렷한 것은 어릴 적의 기억들

나의 살던 고향은 꽃피는 산골, 복숭아꽃 살구꽃 아기진달래

고향은 지역적 고향만이 아니다. 다시 봄을 기다리는 마음

수필隨筆의 세계

수필은 일엽편주로 망망대해를 여행하는 일

돛단배로 파도에 몸을 맡기고 영혼의 세계를 배회하고

시각과 청각의 주변 경치는 가슴 뻥 뚫리는 흥겨움

육지에 도착된 항구가 다른 길을 안내한다,

산을 오르며 발길 닿는 모든 것이 기다리는 이야기

한 걸음 한 걸음 옮겨진 곳의 풀과 나무 바위의 역사들

민들레 꽃씨가 먼거리 바람에 날리며 두려움 거둬주고

개똥벌레와 각종 새들 많은 이야기 담아 조잘거리고

집 짓듯 그림 그리듯 조합된 언어 하얀 종이에 박음질한다.

가끔 모진 바람 폭풍우도 폭포의 물줄기 따라 강으로 간다.

육신은 평온한 들판에 앉아 다시 가쁜 숨 고른다.

지루하지도 간결하지도 않게 때로 회한과 눈물을 감추며

생의 일거수일투족을 펜 하나로 다듬이질한다

시간의 메아리

일초 일 분 한 시간 하루 한 주간 한 달 사계절 한해

손꼽아 등 떠밀지 않아도 변화되며 잘도 가는 날

똑같이 계속되는 날 같아도 같은 날 없다.

어떤 사람 무신경인 채 달력은 연례행사

평온한 시간 꿈꾸나 그건 무미건조한 허망한 일

'혼자 꿈꾸면 영원히 꿈이지만 함께 꿈꾸면 현실이 된다'는

환경화가 「훈데르트 바서」처럼 매일 함께 꿈속을 헤매듯 살다가

뚜뚜뚜 시한부 판정기 앞에 잠자듯 누워있는 그 사람은 평온한가

무얼 기다리는지 지켜보는 주위 사람들의 초조한 표정

영혼의 세계 가는 길도 두 갈래 길이라니

삶이란 건, 살아있다는 건,

보람 있건 귀찮은 것이든 많은 일이 기다린다

생각할 수 있고 행동할 수 있을 때 느낄 수 있는 것
부지런히 움직이라고 길고 짧은 바늘이 째깍째깍한다.

남아있는 말

우리 집 시계는 여러 개 재깍재깍 가끔은 요란하다.

지금은 별로 기념품 없으나 예전 받은 기념시계들 더러 버려도

알람 맞춰놓은 단 하나 시계와 함께 역사를 전시하듯 거의 방치

되었다. 멈춰진 시계 어쩌다 눈에 띄어 재가동 시켜도 바늘은 모

두 제멋대로 간다.

그중 오래된 커다란 거실 시계는 정확한 시간 둔탁한 종을 쳐

깨워주고 값진 것도 좋은 모양도 아닌데 시간은 정확하니 고맙다.

시한부, 시곗소리 들으며 한정된 시간을 생각한다.

종합병원 가까운 동네는 앰뷸런스 소리만 들려도 긴장된다.

집안에 중환자가 있을 때 병원 출입이 하루 일과되어 신경 쓰이

고 믿어지지 않는 실신상태에서 조금씩 깨어나 정확한 의식은 없

어도 묻는 말에 표현하면 반갑다.

순식간의 일, 보이지 않는 내부는 모두 망가져 손쓸 수 없다는 절망 속에 티끌만한 기적과 미련 남은 이별을 생각하며 닥쳐진 여건을 계산한다.

움직일 수 있는 사람은 생활이 우선이니 시곗바늘처럼 제 갈 길 바쁘다.

젊은 나이 철부지 아들딸 두고 갑자기 세상 떠난 가까운 혈육

자식 보내고 나이 지긋한 부모, 어른들은 멍한 채 미안한 시간을 산다.

태어날 때는 쌍둥이도 1, 2초를 따지는데 갈 때는 순서가 없으니 갑자기 닥쳐지는 일은 무언가 남기고 준비할 사이가 없다.

어머니는 갈 때를 알고 계신 듯 주변정리를 예고했지만 딱히 남긴 말은 없다.

병원에 입원하면 움막 같아도 집에 가고 싶다는 말은 마지막 말 같다.

멀쩡히 걸어온 병원 검사에 지치고 예수님 못 박힌 모습처럼

나이 들면 혈관이 숨고 굳어버려 찌를 수 없는 딱지 앉고 멍든 바늘 자국들, 주위에 안타까운 사람들은 가는 길 편히 할 문제 삼아 의견분분하다.

10월의 어느 멋진 날을 노래하지 못한 채, 가을을 남기고 떠난 사람도 있고 속절없는 세월은 무덥고 낭만 깊던 긴 터널을 지나 하얗게 덮고 정리하는 순간이다.

한편으로 적극적 가난, 자발적 가난이라 생각한 나의 행복은 어디였을까. 일정하게 찾아오는 만만한 일상에서 때를 놓치지 말아야 한다.

어느 곳에서든 함께 어울릴 수 있을 때 우리네 생은 행복한 하루가 된다.

땅속 깊은 잠에서 봄은 다시 찾아오고 자연의 모든 것들이 똑같은 모습으로 반복되지 않아도 아무 일도 없었다는 듯

씨 뿌려진 한해살이 꽃도, 붙박이 된 구근, 큰 나무도 옮겨지지 않는 한 그 자리에서 고목이라도 새로운 가지 밀어 올린다.

'움직이는 날까지 사는 거야.'

생의 모습은 똑같이 맞춰놓은 시계가 제멋대로 가듯 일정한 말 없는 말을 남기고

사람들끼리는 허전한 듯 열심히 살아온 여운의 흔적을 되짚어 추억에 잠긴다.

– 인생은 작은 인연들로 아름답다 – 피천득

커피 한잔의 추억

낙엽 지며 비가 내리면 겨울을 재촉하는 비, 비 온 뒤 겨울바람
이 세차도 눈이 내리면 포근하다. 겨울비가 내려 잔설이 녹아내리
면 봄이 가까이 온다.

이상기온 이변은 있어도 계절은 이렇게 점진적으로 겨울이 가고
있는데 내 마음은 겨울 속에 갇혀있다.

요즈음 젊은 연인들도 만추 속 낭만을 즐기며 데이트 할까?

교통도 편리해지고 정서도 예전의 젊은이들과는 다르리라.

낙엽 짙게 깔린 덕수궁 돌담길 바바리 깃을 한껏 올리고 걷던-
이제는 먼 먼 영화 속의 한 장면 같은 추억이라고?

걷다가 지치면 바깥 경치가 보이는 찻집에 앉아,

요즘 젊은이로 벅적대긴 하지만 이런 분위기 좋은 카페는 많다.

그곳에서 낙엽이 구르듯 피아노 건반의 음악 Autumm Leaves

를 들으며

커피 한잔으로 그리움 삼킬 수 있다면

옛날로 돌아가고 싶다. 이럴 땐 옛날이 좋은 것을

세상살이의 풍경도 달라지고 HipHap으로 생각도 변했으리라마는

구르몽 의 시 '낙엽'과 샹송 '고엽'이 낭만의 추억이 아닌

인생의 길임을 언젠가는 한 번쯤 되돌아와 음미하며 들어보리라.

'눈이 나리네' 눈이 오면 포근함 속에 그리움도 한가득

하이얀 눈 위에 한없는 발자욱으로 어딘가 가고만 싶다.

'Love Story'의 설레임은 또 하나의 아름다움을 어찌 잊으랴.

커피 한잔의 추억은 가을이 제격이지만 봄비 오는 날이면 어떠랴. 그때 핸폰이 있었다면 그 속에 빠져 있겠지.

무더운 여름 날 냉커피 한 잔도 또 그대로 좋고

바람 불고 낙엽 지는 날, 비 오는 날, 눈이 소복이 내리는 날,

그윽한 커피향 속에 추억을 마시는 일은 왜 이다지 어우러질까?

교차로의 신호등

아침 6시, 눈 뜨니 해는 중천에 있다. 겨울에는 그 시간이 캄캄하기도 한데 춘분 이후 점점 환해지고 비가 온 다음날 아침은 상쾌한 기분이다.

밤이 지나고 아침이 밝아 오는 것이 신기한 일이다.

먼 나라를 갈 때 야간 비행기에서 밤낮이 반대인 것이 신기해 밤새 하늘이 어떻게 변하는지 보려고 졸린 눈 비비며 기다렸다. 어느새 잠에 떨어져 실패했지만 비행기 탈 때마다 희망 사항이다.

아침이 밝으면 하루의 목적 있는 생활은 즐거움이 함께 한다.

네가 헛되이 보낸 오늘은 어제 죽은 이가 그토록 그리던 내일이다.

― 원재훈

이 말처럼 어떤 지인도 환후 중 아침에 눈을 뜰 수 있다는 것이 너무 감사하다고 한다. 결국 고인이 되었는데 하루를 시작하는 아침은 삶의 교차로가 된다.

건널목 교차로의 신호등은 빨강과 파랑 둘뿐이다. 언젠가 나도 교차로에서 어디로 갈까 망설이며 잠시 갈 길을 잊었다. 주위 환경이 힘들게 하니 정말 갈 곳이 없었다. 삶의 길도 두 가지 뿐이다.

신호등에선 건너가는 길은 노란 신호등도 있고 샛길도 있고 지름길까지 있으나 삶의 건널목에선 삶과 죽음, 사랑과 미움, 전쟁과 평화, 항상 두 가지다.

노란 신호등으로 극한 상황에 갈 때까지 치유할 수 있는 방법이 동원되기는 해도 언제나 나를 이끌고 가는 건 말없이 흐르는 시간이다.

언제부터인지 흐르는 시간을 통해 삶의 정답을 찾는다. 풀리지 않는 일에 대한 정답도 이해하기 어려운 사랑의 메시지도 거짓 없는 시간을 통해서 과연 찾았나.

가장 서운한 시간은 이별하는 순간이고 가장 겸손한 시간은 분수에 맞게 행동 할 때이고 가장 가치 있는 시간은 최선을 다한 모습이고 가장 아름다운 시간은 사랑하던 시간이다 라고?

언제 피었는지 정원에 핀 꽃은 향기를 날려 자기를 알린다.

마음을 잘 다스려 평화로운 사람은 한 송이 꽃이 피듯 침묵하고 있어도 저절로 향기가 난다.

한평생 살아가면서 우리는 참 많은 사람과 만나고 헤어진다. 그러나 꽃처럼 그렇게 마음 깊이 향기를 남기고 가는 사람을 만나기란 쉽지 않다. 주고받음을 떠나서 사귐의 오램이나 짧음과 상관없이 사람으로 만나 함께 호흡하다 더불어 희로애락도 나누다 교차로에서 헤어지는 것인가.

아침이 밝아오면 교차로의 신호등 따라 꽃향기로 퍼져가리라.

추억이 그리운 것은

한해의 끝에서 달랑이는 달력 한 장
마음은 불춤을 추는 여인인 양 덤벙댄다
새날의 아침은 소리 없이 밝아 오는데
매년 이맘쯤이면 버릇이듯 생각나는 일
고마운 사람 아름다운 만남 행복했던 순간
가슴 아픈 사연 불행의 시간도 지나면 새삼 그립다
남은 길 조심스레 옮기며 좋았던 일만 기억하려 해도
끝에 서면 늘 회한이 먼저 가슴에 차오른다.
좀 더 노력하고, 사랑하고 참을 걸
좀 더 좀 더… 매일 책장을 넘기듯 무심해지며
잊고 버리고 새것을 맞으려는 건 순간뿐
변화를 꿈꿔도 익숙한 주변을 쉽사리 못 버린다

마음 한구석 허전해도 지난 일 감사하게 하소서
비워진 곳은 감사로 채워지게 하소서

앨범 속 역사가 환한 미소로 아름답다
잊혔던 순간은 놀람의 기억으로 되살아나지만
회한과 그리움이 손 넘기며 덮여 방울방울 눈에 어린다
정리하며 버릴 수 없는 자료, 흔적은 어디에 남겨 둬야 할까
스쳐 지나간 사람과 일들이 사랑으로 남는다
사랑은 주어 버리고 사랑의 힘은 모든 걸 이겨내듯
다시 받으려는 생각은 욕심이고 상처만 깊다
길지도 짧지도 않은 여정, 고통으로 감내하는 마지막 인사
출산의 고통은 사랑 많은 어머니, 가는 길 고통은 내 몫이다
옹기종기 찍힌 가족사진 빠진 사람도 있는데 빛바랜 만큼
옛 주인공은 사라져 가고 누가 마지막으로 남아 기억할까
아침에 눈을 뜨면 하루의 시작,
점점 하루가 소중하고 감사하다.

빛이 있으면 그림자가 있다

『청춘의 지도를 그리다』 스페인 청년의 세계 여행기 책 이름이
다.

무작정 떠나는 여행이 쉽지 않으나 쉬는 날이 아까워 집에 있지
못한다. 처음에 집 떠나기 쉽지 않더니 테마 있는 여행은 얻는 것
이 많다. 혼자 여행은 다니는 길, 숙박도 걱정인데 단체여행이 이
점도 있다.

부모님 고향이 이북이라 초등시절 방학하면 고향, 시골 가는 친
구가 마냥 부럽다. 우린 왜 시골이 없느냐 떼를 쓰고 지리를 익히
느라 출가 형제들에게 여기저기 떨어져 살기를 권한다. 직장도 일
하면서 여행할 수 있는 곳이나 부서를 선택하고 싶었다.

여유가 생기니 국내의 산부터 섭렵한 등산과 고적 답사 등을 시

작으로 강원도, 부산, 제주도 비행기 여행을 하니 신이 났다. 어쩌다 외국여행을 가게 되어 여권을 만들고 그저 신기하다. 부서만 잘 만나면 출장으로 공짜 여행까지 일 년에 서너 번도 갈 수가 있다.

새해가 되면 기대를 갖는다. 지금은 휴가기간이 자유롭지만 정해진 휴가 때라도 묶여있는 것이 아까워 여행 생각에 한동안 분주했다. 여행도 여행이나 장기간 못해도 여기저기 사는 모습은 다 같아도 각기 환경에 맞춰 생활하는 게 경이로웠다.

그것도 한때, 주위 장애 여건도 생기고 이젠 점점 짐 꾸리기도 귀찮고 게을러진다.

한창 여행 때 자식들이 효도관광여행 보내주는 시절이다. 다른 사람들 효도관광도 가족과 함께면 모를까 보따리 들고 오시는 걸 보면 별로 좋아 보이지 않았다. 부모님들은 연세가 많고 움직일 형편이 못 된다는 핑계로 지나고 보면 부모님께 후회스럽고 죄송하다.

내가 지금 그런 자리로 가고 있다. 이젠 뒤이을 젊은 세대들이 다녀야 할 시기다. 청춘 시절 국내부터라도 여행 다니기를 권한다. 애국심도 기르고 세상의 젊은이들이, 세상이 어떻게 지내고 변하는지 우리가 살고 있는 지구가 얼마나 넓고 할 일이 많은지 보아야 한다. 지금이야 연세 있으셔도 여유만 되면 다닐 수 있을 때 부지런히 다니시는 분들이 많아져 좋은 세상이다. 그런 것도 삶의 의미는 된다.

한구석에 낙엽 되어 제 기능을 상실한 채 웅크리고 있는 여행 가방, 분신으로 국내외를 누비며 다녔다. 함께 남겨진 건 비슷한 곳도 많아 어디인지 기억이 잘 안 나는 사진 더미들- 그래도 추억을 되씹으며 즐거워한다. 어느 현판 위의 글귀가 눈에 들어온다. 〈살얼음 속에서도 젊은이들은 사랑하고 손을 잡으면 숨결은 뜨겁다.〉 〈청춘의 지도를 그리다.〉

나의 지도는 완결되지 못한 채 빛이 기울어지니 그림자만 점점 길어진다.

#5 예술의 쉼터

아직은 마음대로 활동할 수 있는 좋은 때
이 모습대로 내 나라를 다시 성찰하게 한다

이ㅈㅜㅇㅅㅂ - 도원 -

음악-사라사테/찌고이네르바이젠

봄의 바이올린

봄이라 하는데 거리엔 아직 겨울이 남아있어 옷깃을 여미며 문열고 들어선 살롱의 실내에선 바이올린 곡이 흐른다.

스페인 집시들 사이에 그녀의 자태만 강한 흔들림으로 실내는 열정의 도가니 ─ 바이올린은 전통적 잠겨있는 열정과 억압할 수 없는 울분의 암시를 터트린다. 스페인 거리는 그래선지 정열이 넘쳐 보이고 가우디, 피카소, 달리 등등 예술의 나라로 유럽의 다른 나라처럼 몇 번을 가도 또 가고 싶은 나라이다. 바이올린 소리는 낙엽 지는 가을이 더 정겨운 일인데 내게 이 곡 만큼은 봄에 더 다가오는 소리다.

집시여인처럼 방황하던 어느 봄날, 조용히 다가온 사람이 있다. 친구들은 신입생으로 음악 감상실에서 단체 미팅하며 입학의 즐거움을 누리고 있을 때 동행은 했지만 혼자 빠져나왔다. 피곤한 여러 사정에 유일한 교통수단인 버스도 늦게 오는 터라 전봇대에 기댄 단벌 빨간 코트에 긴 머리가 그럴듯해 보였나 보다.

처음 만남인데도 어색하지 않게 클래식의 재미를 느끼게 해 준 사람―당시 멋드러진 음악 감상실에 다녀도 특별히 클래식을 듣지 않으면 음악에 관한 건 그저 들어서 좋은 세미 클래식이나 좋아할까? 이상한 건 성악이나 피아노나 악기를 해도 내가 연주할 때는 흥에 취해 즐거운데 못 된 심보가 막상 연주회 감상은 달갑지 않은 때가 많다. 그때도 그냥 그랬는데 이 곡은 큰 의미를 남기며 가을보다 봄이 되면 더 기억되는 곡으로 그 이후 이 곡만 들으면 의미있는 미소를 짓는다.

찌고이네르바이젠 Zigeunerweisen, Op. 20
작곡가이자 바이올리니스트 사라사테가 스페인 집시들 사이에 전해 내려오는 각종 무곡들을 소재로 만들어낸 바이올린 독주곡으로 상당한 수준의 기술과 표현을 요하고 있다. 지고이너란 집시(Gypsy)를 가리키며 바이젠이란 선율·가락을 뜻하는 말이다.

사라사테가 헝가리를 여행할 때, 그 지방 집시들의 민요 몇 개를 소재로 그 기법과 표정을 더해 이 곡을 작곡하였다(1878년). 빠른 패시지(선율음 사이를 빠르게 상행, 하행하는 경과적인 음표의 무리)를 비롯하여 피치카토·하모닉스·도펠그리프·글리산도 등 모든 연주법상의 기교가 총망라된 난곡難曲 중의 난곡으로 당시 사라사테 생존 중 자신밖에는 연주할 사람이 없다고 한다.

연속되는 3부분으로 이루어져 제1부에서는 잠겨 있는 정열과 억압할 수 없는 울분의 암시, 제2부에서는 집시적인 애조, 목메어 우는 애수가 넘쳐흐르며, 제3부에서는 앞의 애조적이던 것이 집시 특유의 광적인 환희로 돌변, 잠재하고 있던 정열이 폭발하고 만다. 그 화려한 기교와 집시풍의 선율로 제대로 느낄 수 있어 듣는 이를 곧잘 매료시키는 명곡이다. 전체적으로 제1, 2부는 집시들의 방랑생활의 호탕함과 애수를 노래했고, 제3부는 그들의 제멋대로 날뛰는 광경을 암시한 것이다.

사라사테는 파가니니, 요아킴, 비에냐프스키와 더불어 근세 4대 바이올리니스트로 그를 가리켜 신에 가깝다고 평하고 그의 아름답고 맑은 음색과 놀라운 기교, 우아한 표현 등은 불세출의 귀재로 경탄할만한 사람이었다. 작곡가로 그는 민족적 멜로디와 리듬을 활용하여 기교적으로 어려운 작품을 남겼는데 그 중 하나가 '찌고이네르바이젠'〈'집시의 노래'란 뜻〉이다.

사라사테(Pablo Sarasate, 1844-1908)
에스파냐의 바이올린 연주자·작곡가. 8세 때부터 수도 마드리드에서 음악공부를 하고, 1856년 여왕 이사벨라 2세와 함께 나바라주州의 장학금으로 파리국립음악원에 입학하여 알라르에게 바이올린을 사사師事하였다. 졸업 후 61년 런던에서의 첫 공연을 시작으로 유럽 각지와 남북아메리카에 걸친 대연주 여행하여 성공을 거두고, 파가니니(1782~1840) 이래 음악의 거장으로서 명성을 떨쳤다. 70년 다시 파리로 돌아와 이후 유럽을 중심으로 각지에서 활발한 연주활동을 계속하여 연주의 특색은 투명하고, 부드러우며 감미로운 음색과 화려한 기교의 구사에 있다. 폭넓은 비브라토(떨려 울리는 음)와 개성적인 리듬의 매력을 잘 살린 연주, 특히 에스파냐풍의 연주 등에 뛰어났다.

프랑스의 작곡가 랄로는 그의 최초의 《바이올린 협주곡》과 《스페인 교향곡》을 헌정獻呈하였고, 독일의 작곡가 브루흐(1838~1920)도 《바이올린 협주곡 제2번》과 《스코틀랜드 환상곡》을 그를 위해 썼다. 또 비제(1838~75)로 하여금 《에스파냐 무곡집》과 《카르멘 환상곡》, 《서주와 타란텔라》, 《호타 아라고네스》등 바이올린 연주를 위한 기교적이며 화려한 효과를 가진 에스파냐풍의 관능적 선율의 작품을 작곡하게 한 사실은 널리 알려진 일이다. 자신의 작품으로는 《찌고이네르바이젠》이 유명하다.

가끔 집시처럼 여행을 한다. 각 나라를 여행하면 그 나라에 태어난 예술인의 작품 속에서 환경과 자연에 많은 도움을 받은 것 같아 부럽다. 여행을 한다는 것이 경제적 여유가 있어 허세 부리는 것 같았는데 세계는 정말 배울 것이 많다.

외국을 조금 가보고 내 나라에도 신경 안 쓰다 오랜만에 가면 조금씩 예전과 다르게 정리되어 있는 환경과 자연을 본다. 하긴 여행하는 사람은 가는 곳에 대해 잘 알고 가지만 막상 외국에 사는 사람이나 우리도 자기가 사는 곳에 좋은 곳이 있어도 못 가본 사람이 많다.

　여유가 없던 시절 아이들과 여행갈 생각도 못했는데 한때 효도 관광도 있고 자녀를 데리고 가는 모습이 더 많아졌다. 세 딸을 가진 친구는 일찍부터 국토순례 여행을 하더니 결국 외국에 갔어도 내 나라 사랑은 여전하다고 한다.

　어릴 땐 하고 싶은 것도 많았다. 피아노도 언니 덕에 오빠 따라 하모니카도 어깨너머로 배우고 뒤에 바이올린도 파가니니처럼 아니 찌고이네르바이젠을 연주하려고 시작하기도 했다. 꿈은 이루지 못했지만 사라사테라는 작곡가도 알았고 그의 작품으로 클래식의 묘미도 알게 되어 이런 만남도 우연은 아니리라, 봄의 바이올린처럼 언젠가 집시처럼 만나게 될까.

모딜리아니의 그림세계

모가지가 길어서…

 '모딜리아니'를 알게 된 건 중1 미술 숙제인 자화상 그릴 때였다. 누가 모딜리아니의 그림을 보여 주었는지 기억은 없고 나름 그림에 자신있어 책상 벽에 거울을 기대놓고 짧은 단발머리에 말라빠진 모습의 목이 긴 자화상을 그렸다. 그림을 본 언니는 대뜸 "넌 모딜리아니를 닮았니?" 해서 그림 이름이 모딜리아니인 줄 알았다. 그림에 관심은 있으면서 다른 작가의 그림도 보면 그때뿐, 모방할 것 같아 나대로 창작을 고집하며 특별히 알아보려 하지 않았다.

 뒤늦게 우연히 전문지에서 그의 작품 세계가 소개되어 머릿속에 들어있던 '모딜리아니'라는 이름 – 미술 역사상 가장 잘생겼다는 화가 그의 그림과 설명을 보며 나의 무식함과 그림 속 사정 가슴 아픈 사연을 기억하게 되었다.

 Modigliani 걸작들–고개를 갸우뚱하고 있는 목이 긴 여인의 초상화, 푸른 옷을 입은 소년, 역시 기다란 모습의 관능적인 자태로 누운 여인의 누드화로 유명한 아메데오 모딜리아니(Amedeo Modigliani,1884-1920) 그의 그림을 보며 노천명의 '사슴'을 연상한다. 어딘지 닮은 모습 – 슬픈 모가지를 하고 먼데 산을 쳐다본다. – 이 또한 속 사정도 모른채 내가 애창하던 시였으니… 사슴도 모가지가 길어서 슬픈 짐승일까,

관능적인 자태로 누운 여인의 누드화로 유명한 아메데오 모딜리아니(Amedeo Modigliani)

한 여인이 흰 치아를 보이며 살며시 눈을 감고 초콜릿색과 연한 커피색 바탕 노랑색 무늬 있는 침대에 누워 있는 모습 – 흔히 누드라고 하면 얼굴과 가슴을 가리는 것이 보통인데 적당한 크기의 젖가슴과 가느다란 허리, 그리고 풍만한 허벅지를 그대로 보이고 있다. 허리와 얼굴이 길어 과장된 표현의 그림 같지만 모델의 황홀한 얼굴 표정과 양팔을 위로 올린 과감한 몸짓에서도 애틋하면서도 야릇한 감정을 느끼게 한다.

모딜리아니와 쟌느의 전설 같은 이야기

이 두 사람 사이의 사연을 말하는 많은 전설 같은 이야기들이 남아 있는데 모딜리아니가 자신의 아내인 쟌느에게 "천국에서도 나의 모델이 되어달라"고 했다는 말도 있고, 쟌느가 "천국에서도

당신의 아내가 되어 주겠다"고 사랑을 다짐했다고 하지만 사실은 모른다. 다만 가톨릭 교육을 받고 자란 임신 9개월의 여자가 남편을 따라 투신자살한 사건은 인간도 동물인 이상 뱃속의 아기를 지켜야 한다는 모성 본능을 초월한 일대 사건이다. 이들 부부의 사랑은 불멸의 비극적 전설이 된다.

이때 쟌느의 나이 21세다. 그의 영원한 모델이 되어주기 위해, 사랑이었고 꿈이었던 남편을 잃은 상실감에 잔이 선택한 최선의 방법이다. 모딜리아니 옆 쟌느의 묘비에는 '모든 것을 모딜리아니에게 바친 헌신적인 반려자'라고 적혀있다.

모딜리아니의 장례식은 초라한 그의 생애에 비해 화려했다. 온통 꽃에 파묻힌 그의 관이 실린 영구차 뒤에는 파리의 유명한 모든 화가들 ― 피카소, 데리앵, 우틸로, 작크 립시츠, 키슬링, 올티즈, 자라데, 부랑빙… 헤아릴 수 없는 화가들이 페르 라쉐즈 묘지로 가는 슬픈 행렬을 이루었다.

아메데오 모딜리아니는 36세의 짧은 생을 그림이라는 예술형식에 묻힌 채 열정적으로 살다 간, 어쩌면 행복한 사람이었을지 모른다. 그의 행적에서 예술의 의지는 실로 대단하고, 그 집념은 무서운 광기를 느끼게 한다. 그의 그림은 다소 눈동자를 그리지 않은 그림이 많다. 영혼을 알기 전까지 눈동자를 그리지 않겠다며 눈동자 그리는 것을 꺼렸던 그는 겨우 쟌느의 눈동자를 그리기 시작했을 때 곧이어 죽음이 이들에게 다가온 때로 모딜리아니는 그림에 대한 느낌보다 삶의 방향, 방법이 쉽지 않다는 생각이다.

마지막 여인 쟌느를 처음 만났을 때 그녀는 19살이었고 모딜리아니는 33살이었다.

모딜리아니의 뮤즈였던 잔 에뷔테른(Jeanne Hebutern), 그녀역시 화가였다. 그러나 모딜리아니의 그늘에 가려 쟌느의 작품들은 잘 알려지지 못했다. 15세에 이미 화가를 꿈꾸며 미술 학교를다니고 옷과 장신구를 직접 디자인할 만큼 예술적 재능이 뛰어난그녀에게 모딜리아니는 예술적 스승이기도 했다.

쟌느는 일본 태생의 츠구하라 후지타의 모델인데 모딜리아니의모델로 왔다가 사랑에 빠지게 된다. 쟌느는 엄격하고 좋은 카톨릭가정에서 자란 19살 청순한 소녀로 그림 공부를 한다고 몽파르나스에서 모딜리아니와 만나 그림도 그리고 모델도 하며 사랑하게되어 부모의 반대에도 모딜리아니와 결혼하였다. 쟌느의 머리는붉은색에 얼굴은 희고 조용한 성격으로 1918년 20세에 14살 차이 나는 가난한 화가 모딜리아니 나이 34세에 임신한다. 그해 11월 말 니스 병원에서 딸을 출산하고 자신의 이름을 그대로 물려준다. 충실한 반려자 쟌느는 집에 들어오기를 기다리며 끝없는 사랑을 주었다.

두 사람은 1917년에 만나 몽파르나스 작업실에서 2년여 동안 생활하다 결핵을 앓던 모딜리아니의 병세가 악화되자 니스 해변가로요양을 갔다. 그곳에서 본격적으로 둘만의 시간을 가지며 많은 작품을 남긴다.

푸른색의 자화상/ 아메데오 모딜리아니 작/ 모딜리아니의 몇 안 되는 자화상 드로잉. 병상에서 그린 것으로 추정되며 푸른색이 잔을 두고 떠나는 모딜리아니의 우울함을 표현한 듯하다.

모딜리아니와 잔 에뷔테른/ 아메데오 모딜리아니, 잔 에뷔테른 작/ 둘이 함께 그린 그림으로 가벼운 드로잉이지만 임산부 잔과 손을 꼭 잡은 아름다운 모딜리아니의 모습을 볼 수 있다.

행복도 잠시, 둘 사이 아이가 태어나고 생활고에 쫓기자 모딜리아니는 다시 방탕한 생활에 빠지고 점점 괴팍한 성격으로 변해 갔다. 결국 파리로 돌아왔으나 이미 모딜리아니의 건강은 극도로 악화되어 모딜리아니의 불안과 분노는 쟌느에게도 영향을 미쳤다. 하루하루 다가오는 남편의 죽음을 준비하며 쟌느는 유언처럼 자살 'Le Suicide'이란 작품을 남겼다. 그 안에는 극에 달했던 잔의 불안한 심리가 담겨 있다. 이 작품을 남기고 잔 에뷔테른은 모딜리아니가 눈을 감은 이틀 후 5층 아파트에서 투신자살한다.

자살/Jeanne Hebuterne 쟌느는 병상을 지키며 모딜리아니에게 드리운 죽음을 보았다. 천국에서도 자신의 모델이 되어달라는 모딜리아니의 말을 들어주기라도 하는 듯, 이 그림을 그리며 모딜리아니와 함께 떠날 준비를 했다. 그렇게 쟌느는 모딜리아니의 품으로 달려가 영원히 그만을 위한 모델이 되려 했다. 이들이 니스에서 함께 했던 2년이 채 안 되는 시간은 화가 모딜리아니의 인생에서 가장 중요한 시기였다. 그의 대표작이라 할 수 있는 초상화 작품을 가장 많이 그린 시기이기 때문이다.

미술계가 주목할 수 밖에 없었던 사랑

이들의 이야기에는 제1차 세계대전 이후 미술사에서 가장 격동적인 시기인 1914~1920년의 현장이 담겨 있다. 당시 몽파르나스는 이방인 예술가 집단 '에콜 드 파리'를 중심으로 전 세계의 갈 곳 없는 아티스트들이 모여들었다. 그 대표적 화가들이 생 수틴, 줄스 파스킨, 모이세 키슬링, 마르크 샤갈 등이다. 몽파르나스에 모인 예술가들은 큐비즘, 다다이즘, 추상예술, 구상예술 등의 이름으로 그룹을 이뤄 경쟁했는데 그것이 오늘날 미술사의 큰 줄기를 이루게 된다. 쟌느와 모딜리아니가 처음 마주친 카페 '로통드'는 당대의 철학가, 예술가들이 모여드는 에콜 드 파리의 요지였다. 모딜리아니가 창조의 에너지로 자신만의 독자적인 세계를 완성할 수 있게 쟌느가 도왔다면, 모딜리아니는 쟌느가 여성적이고, 현실적 화풍에서 벗어나 한층 더 발전할 수 있게 도왔다. 때로 둘이 함께 그림을 그렸는데, 구체적인 현실의 어떤 것도 반영해 내지 못하고 시대 밖에서 맴돌던 모딜리아니의 화풍이 쟌느의 매우 여성적이고 일상적인 화풍과 결합해 또 다른 화풍을 빚어내었다. 둘이 함께 그린 드로잉 '모딜리아니와 잔 에뷔테른'에는 임신한 쟌느의 손을 꼭 잡고있는 모딜리아니의 행복한 한때가 담겨있다. 이들이

니스에서 보냈던 짧지만 행복했던 시간, 그 시간이 오늘날 모딜리아니를 만들었다. 잔 에뷔테른이 없었더라면 오늘날 모딜리아니가 이렇게 유명해지지 않았을 수도 있었다.

　이만큼 살아보아도 계속 문제가 야기되고 세월이 흐르는 대로 물길 따라 걷기엔 부딪치는 잡초와 바위가 얼크러져 있는 느낌이다. 사슴은 모가지가 길어서 슬픈 짐승일까. 「모가지」라는 말 속에는 인간과 동물이 다같이 공유하는 원초적이고 본능적인 생명의 모습이 들어있다. 목이 짧으면 생명에 위해를 가하는 공격적 존재로 보이고 목이 길면 수동성과 생명의 무력함이 드러난다. 모딜리아니가 그린 여인 초상이 조금씩 슬퍼 보이는 이유는 예외없이 그목이 길게 그려져 있는 탓일까.

고개를 갸우뚱하고 있는 목이 긴 여인의 초상화 / 모딜리아니의 대표작 중에는 유난히도 목이 긴 여인의 초상화가 있다. 도도하면서도 묘한 눈빛을 풍기는 쟌느의 모습이다.

그림-훈데르트바서

인간과 자연의 조화

'혼자 꿈꾸면 영원히 꿈이지만 함께 꿈꾸면 현실이 된다'라고 말한 프리덴슈라이히 훈데르트바서(1928.12.15~2000.2.19)는 오스트리아 출신 화가이며 건축가이다. 전시장 입구엔 초록색 정원 옆에 커다란 그의 얼굴이 있다.

전시장에 들어가니 동화나라에 온 것 같다. 훈데르트바서의 회화 작품은 강렬한 색채와 형태로 눈길을 사로잡는다. 그는 인간과 자연의 조화라는 확고한 주체의식을 가지고 작품 활동을 하며, 환경 및 평화운동에 대한 자신의 철학을 직접 실천에 옮겼던 진정한 예술가라는 평을 받는다.

회화뿐 아니라 가우디에 비교될 만한 건축물은 그의 말처럼 꿈을 현실되게 하는 동화속 꿈꾸는 궁전 같은 아름다운 모습을 보여준다. 그의 건축물은 모든 사람의 꿈을 현실화시킨 마법과도 같

190 삶의 정원 거닐며

은 인류의 정신을 치료해 주는 치유능력으로 평안한 모습으로 눈에 띤다. 한번도 정식으로 건축학 교육을 받은 적이 없지만 자신을 건축가보다는 인간을 불행하게 만드는 병든 건축물들을 재탄생시키는 건축 치료사라고 생각했으며 인간과 자연의 평화로운 공존이라는 일관된 목표 아래 보다 인간적이고 친환경적인 건축물들을 디자인했고 전 세계 여러 도시에 50개에 이르는 건축 프로젝트를 실행하였다. 자신의 자연과 도시에 대한 문제를 해결하는 아이디어로 다양한 디자인 작품을 제작했고 그린피스 및 환경운동단체에 기부하여 강력한 메시지를 전달하는 도구로 사용하도록 지원하였다. 또한 자신의 작품을 판매하여 만들어진 기금으로 6만 그루 이상의 나무를 심었다. 전시기획도 'Green City'이다.

진정한 행복의 길을 모색하고 실천했던 용기있는 철학자로 예술이라는 언어로 자연과 사람을 치료하려고 했던 마음의 눈을 가진 가장 진정한 시인이었다. 훈데르트바서는 전통적인 색의 조합에서 벗어나 보다 자유롭고 대담한 칼라들을 구사했고 특유의 생각은 회화에서 색을 특별히 조합하는 탁월한 능력으로 작품에서 화려하고 다양한 칼라를 보여준다. 그의 색채는 원색인 듯하면서도 요란하지 않은 밝음을 표현하여 작품 앞에 서면 남녀노소가 환한 얼굴과 그저 감탄사와 더불어 입이 열릴만큼 그냥 즐거운 느낌이 든다.

훈데르트바서는 흐린 날, 특히 비 오는 날을 좋아했다고 한다.

비 오는 날은 세상이 촉촉해지면서 본래 사물이 가진 생명력을 발휘한다고 생각하여 비와 관련된 주제의 그림을 많이 그렸으나 어두운 느낌은 없다. 그 자신의 중간 이름을 독일어로 비 오는 날의 뜻인 레겐탁(Regentag)이라고 명명하기도 했다. 나선의 화가로 나선 페인팅 거장의 반열에도 올랐다. 오묘한 그의 나선은 삶과 죽음의 영원한 순환을 뜻하며 그의 많은 작품들 안에 주요 요소로 등장한다. 그를 색채의 마법사, 나선의 미학가, 건축 치료사, 환경운동가 등으로 지칭하고 있다.

잊지 못할 그 노래
- 아름답고 푸른 도나우 -

고요하고 또 아름다운 도나우강 흐름이여

푸른 물결 물 위에 어리며 끝없이 흘러 흘러 가누나

눈빛 흰 그곳 알프스 산에 골짜기로 흘러 내려

끝도 없는 곳 푸른 바다로 끝도 없이 흘러가누나

부는 바람 물결 따라 고요히 말없이 흘러간다.

아름다운 강물 바라보며 그 옛날을 다시 더듬으니

가슴에 뛰는 그 기쁨 금할 수 없구나

그리운 옛날은 지나갔건만 늘 푸른 도나우 변함없어라

가슴에 뛰노는 푸른 꿈 안고 봄의 저 강물 하염없이 흘러간다.

도· 나· 우· 아름답구나 도나우 도나우 흐른다.

맑고 또 푸른 도나우강 노래를 부르자

J. Strauss Ⅱ : An Der Schonen, Blauen Donau Waltz Op. 314

(요한 스트라우스 2세 : 아름답고 푸른 도나우강 왈츠, 314)

노래를 좋아하며 즐기는 사람으로 때에 따라 잊지 못할 그 노래
는 많다. 이 노래는 꿈 많은 학창시절 노래에 얽힌 사연도 모른 채
왈츠곡이 좋아 합창도 하고 무용도 참여하면서 귓가에 맴도는 노
래다.

도나우강은 오스트리아의 젖줄이라고 불리며 유럽을 관통하는
가장 큰 강이다. 〈아름답고 푸른 도나우〉를 들으면 새파랗고 맑은
유유히 흐르는 강이 상상된다. 실제로 이 작품이 탄생된 즈음의
강물이 정말 맑았는지 의문이다.

1995년 방문했을 때 빈을 흐르는 도나우강의 색이 실제로는 갈
색이나 황토색, 청록색 등으로 푸른빛과는 거리가 멀다는 보고를
들었고 보았다. 무엇보다 이 작품의 이름이 도나우강과 연관된 것
도, 작품이 작곡된 1867년 빈에는 도나우강의 물결이 흐르지 않
았다고 한다. 도나우의 지류는 당시 빈 주위를 에워싸고 있는 여
러 늪지대 중 하나이고 도나우강은 슈트라우스와 시인에 의해 아
름답고 푸른 강이 되었다. 이것은 고즈넉하게 흘러가는 아름답고
밝은 유려한 선율이 탁한 강물의 색을 푸르게 변화시킨 작곡가의
마력이다. 요한 슈트라우스 2세가 그린 도나우강은 푸르고 동적인
모습이었을 것이다.

전쟁의 우울을 끌어안은 왈츠 선율이 아이러니하다. 1866년 옛

프로이센과의 전쟁에서 7주 만에 참패한 오스트리아는 패전국으로 정치, 경제적으로 큰 압박을 받으며 암담한 시기가 되었다. 한때 전 유럽을 호령하던 오스트리아는 국토는 황폐화되고 명랑하던 빈 시민들은 웃음을 잃어버렸다. 이 무렵 1867년 빈의 남성합창단은 쾌활하면서도 애국적인 곡을 공연하기로 하고, 요한 슈트라우스 2세에게 가사가 붙은 곡을 의뢰한다. 요한 슈트라우스 2세는 시인 자를 벡(Jarl Beck)의 '오스트리아의 젖줄 도나우강'에서 영감을 얻고 무명시인 칼 베크가 쓴 시를 읽고 큰 감동을 받아 〈아름답고 푸른 도나우〉를 작곡하였다.

도나우의 흐름은 기쁨도 슬픔도 감싸주고 달래주며, 빈의 벗이 되어 왔다. 요한 슈트라우스는 바로 이런 도나우강을 소재로 왈츠를 작곡하고 합창곡을 완성하였다.

이 곡은 당시 의기소침해 있던 오스트리아 국민들에게 새로운 용기와 희망을 북돋아 주면서 오스트리아 국가 다음으로 사랑받는 곡이 되었다. 초연의 반응은 나쁘지 않았지만 작곡가는 만족하지 않았다. 반 년쯤 지나 음악을 수정하고, 가사 없는 관현악 작품으로 편곡하였다. 관현악은 파리 국제 만국 박람회에서 재연하였을 때 대호평받아 그로부터 전 세계에 퍼지게 되었다. 가사는 음악이 작곡된 이후 시인(Joseph Weyl)에 의해 붙여졌다. 연주한 곡에는 프란츠 폰 게르네트(Franz von Gernerth)의 푸른 도나우로 가사가 대체되었고 이 버전이 더 흔히 불린다. 우리나라 가사번역은 누구였는지 모르나 기억된 곡과 함께 도나우강이 흐르듯 왈츠로 흥겹다.

왈츠! 하면 ― 차이코프스키나 쇼팡 같은 음악가들도 있지만 ― 왈츠의 왕으로 불리우는 요한 슈트라우스(1825~1899)를 첫 손에 꼽는다. 슈트라우스는 왈츠 하나만 위해 평생을 바쳤다고 할 수 있고 그의 음악을 대표하는 왈츠 〈아름답고 푸른 도나우〉를 들으면 유럽전역을 휘저어 감아 흐르는 도나우강 주변의 멋진 경치와 함께 르노와르의 그림처럼 우아한 왈츠의 선율에 맞춰 춤추는 멋진 남녀의 모습이 떠오른다. 청순하면서도 유창하게 흐르는 멜로디가 단순한 듯하지만 아름다운 선율은 듣는 사람들의 마음을 감동시키는 마법 같은 힘을 가지고 있다.

1973년 중국에서 빈 필하모닉 오케스트라의 초청 공연이 있었다. 1만 8천 명의 청중이 참가한 대공연에서 그로부터 얼마가 지난 후, 중국 정부는 〈아름답고 푸른 도나우〉가 평화에 대한 그릇된 환상을 심어준다는 이유로 금지하였다. 이렇게 유려하게 흐르는 선율이 긍정적으로만 받아들여지지 않았다. 실제로 1848년 혁명이 실패한 유럽에서도 이러한 분위기가 없었던 것은 아니다. 그런데 큐브릭 감독의 〈스페이스 오딧세이〉(2001)에서 이 왈츠를 배경에 넣어 긍정적인 미래의 이미지를 심었다. 〈아름답고 푸른 도나우〉는 A장조로 바이올린의 트레몰로 위에 호른이 그 유명한 왈츠 주제를 노래한다. 곧 관악이 스타카토로 이에 답하는데, 왈츠

의 첫 주제는 하프 반주에 맞춰 상행하는 3화음 모티브로, 첼로
와 호른에 의해 연주되는 이 음악에 맞춰 미래시대의 우주선이 우
주를 선회한다. 또 다른 번역 시도 있다.

"나는 보았네. 괴로움에 지친 그대를…
젊고 향기로운 그대를 보았네…
마치 굴속에 빛나는 황금처럼… 도나우의 물결 위에…
아름답고 푸른 도나우의 흐름 위에…"

오늘날 오스트리아의 모든 방송국은 매년 해가 바뀌는 첫날 0
시 정각에 이 아름다운 왈츠 '아름답고 푸른 도나우강'을 방영해
새해가 되었음을 알린다고 한다.

새해 아침에는 빈 필하모닉 오케스트라가 이 곡으로 신년음악회
의 빠지지 않는 서두를 장식하고, 이 신년음악회는 유럽의 모든 지
역과 미국에 위성으로 중계된다. 〈아름답고 푸른 도나우강〉은 이
바노비치의 〈도나우강의 잔물결〉과 함께 도나우강을 제재로 한
왈츠곡 중 2대 명곡의 하나로 4분의 3박자 왈츠 형태이다. 지금은
물이 맑고 흐름의 변화가 많으며 연안은 풍광과 역사에 혜택을 입
고 있어서, 예로부터 이것을 제재로 한 악곡을 많이 찾아볼 수 있
다.

오스트리아 국민 대부분은 이 '아름답고 푸른 도나우강'을 비공
식적 국가國歌처럼 여기기 때문에 어떤 음악학자는 이 곡을 "가사

없는 애국적 국민가요"라고 부르기도 한다. 우리나라는 한 많은 고개를 가진 아리랑이 국민가요가 될까?

　부모님 가신 후 대신하던 연로한 언니가 병원에 입원했을 때 들려준 곡 중 하나가 〈아름답고 푸른 도나우강〉이다. 한 세대 차이가 있는 재주 많은 언니는 노래도 잘했고 그 영향으로 일찍 명곡도 따라하고 어깨너머 배웠다. 이어폰으로 찬송가를 들려주려 했는데 언니가 즐겨 부르던 곡은 눈물이 났다. 그보다는 명랑한 곡이 좋을 것 같아 마침 핸폰에 경음악의 〈아름답고 푸른 도나우강〉 외 몇 곡이 들어 있었다. 조금 건강할 때 유럽여행을 같이 가려다가 못 간 아쉬움에 '잘 되었다' 하고 말은 할 수 없는 상태이나 표정으로 듣는 것 같아 성가곡 몇 개와 계속 들려 주었는데….

　늦가을 생일 즈음 쓰러져 유난히 추운 겨울 누운 채 새해맞이는 제대로 못 했어도 새봄에 떠난 하늘나라에서 도나우강을 춤추며 보고 있지 않을까?

눈길을 걷다

도시를 떠나 한적한 곳에서 막내딸과 여생을 보내던 아직 60대 중반의 여인은 어느 날 세 딸을 불러모았다. 학교 선생이던 여인은 사랑하던 남편을 먼저 보내고 세 딸을 키웠다.

큰딸이 툴툴거리며 왔다. "바쁜데 무슨 일로 부른 거야" 엄마는 아직 성품도 온화하고 무슨 일이 있는 것 같지도 않았다. "막내가 장 보러 갔으니 다 모이면 얘기할게, 너는 그 외국인과 잘 지내니?" "뭐 대충 살지만 엄마가 걱정할 정도는 아니야" 딸은 아무렇지도 않은 엄마에 짜증이 나서 담배를 빼물고 둘째와 막내가 오는 걸 보고 밖으로 나온다. "무슨 일이야 너희들 무슨 문제 일으킨 거야?" "우리가 무슨 문제나 일으키는 사람 같아!" 두 딸이 동시에 큰소리친다.

세 딸은 여자여서인지 만나기만 하면 샘을 내고 다툰다. 어릴 땐 품안의 자식이었지만 이젠 각자의 생활이 있으니 한번 모이기도 쉽지 않다. 도대체 무슨 일인지 갑갑하다. 재촉하니 밥을 먹고 천천히 얘기하자고 한다. 세 딸은 아직 출가 못 한 것 같으나 각자의 생활이 있는 듯하다. 둘째는 계속 전화가 오고 빨리 가야 한다고 불안해한다. 잠시 후 모여 앉아 엄마는 천천히 과일을 먹고 차를 마시며 담담히 얘기한다. "나하고 삼일만 여기서 편안히 지내자" "참− 싱겁네 그동안 뭐 하려구, 그 다음엔 죽기라두 하나?" "그래 죽을 거야 나 말기 암이란다." "그럼 병원엘 가지− 우릴 불러서 어쩌자는 거야 참 기가 막히네" "나 병원 안 가 나하고 사흘만 편안하게 즐기면서 여기 있으면 되는 거야 그 소원도 못 들어주니" 세 딸은 어이가 없었다.

세 딸은 서로 투닥거리기도 하고 밖의 사람들과 불편한 통화를 하면서도 엄마와 들판을 거닐며 자연을 즐기기도 하고 할 일 없이 빈둥거리며 지낸다. 이틀 되던 날 "엄마는 그동안 너희 아빠와 행복했었고 너희들이 있어 좋았다. 너희들에게 끝까지 제대로 해 준 건 없지만 남아 있는 건 잘 나눠주고 가야겠다" 산책하다 들어오니 공증 변호사가 재산 상속장을 들고 나타나 엄마는 세 딸들에게 적당히 배분해 준다. "엄만 정말 뭐 하자는 거야" 이틀 밤을 지내며 딸들은 궁금해진다. 드디어 '내일이 삼일째인데 뭘 하려는 거지 갑자기 자살이라도 한다는 건가?'

사흘 되는 날 산책하고 들어오는 길에 일본인 간호사와 통역인이 기다린다. 엄마는 소파에 편안히 앉아 "난 이제 갈 시간이 되었다. 사흘 동안 너희들 즐겁게 편안하게 지내줘서 고맙다"고 하니 세 딸은 그제서야 실감하며 울부짖기 시작한다. 간호사가 링거를 장치하고 바늘을 꽂으며 말한다. "이제 십 분 동안 따님들은 어머니에게 하고 싶은 말을 하십시오" 그제서야 딸들은 울음을 터트리며 자신들의 잘못을 용서해 달라고 호소하나 이미 어머니는 이 세상을 하직할 준비를 마쳤다. 마지막 장면은 바람 부는 빈 들판을 배회하는 세 딸들의 모습이 보인다.

최근 어느 영화의 한 줄거리다. 우리나라도 이런 예가 있는지 모르나 태어날 때도 자신이 정한 건 아니며 이 세상에 나오는 날은 주위에서 예정한다고 해도 갈 때는 자신의 마음대로 지정해서 갈 수 있다는 건 자살 아니면 생각지도 않은 일이다. 자살도 강심장으로 웬만한 용기가 없으면 안 될 일, 그럴 용기로 살라고 하지 않던가, 어쩌면 자살이 힘드니 주위의 도움 받아 가고 싶을 때 간다는 이 내용은 정말 생각지도 않았다. 일본 간호사가 등장하는 걸로 보아 일본엔 실행되는 건가? 안락사에 힌트를 얻어 만들어진 이야기 같으나 이것도 용기가 필요한 일이다. 나이 들어가며 둘러보니 모두가 사는 것이 기적이다. 목적도 의식도 없다면 주어진 삶이라고 여러 모양으로 살아있는 것이 경이롭다.

뮤지컬 드라마

꽃신을 신으며

"우리는 할매가 되가 금방 죽어 없어져도 그림이랑 노래, 왜 그런 거는 오래오래 남을 거 아이가, 민들레 홀씨 맨키로 약해보이도 그래도 그기 멀리멀리 날아 안 가겠나…, 우리를 오래오래 기억해 주소, 그래야 다시는 그런 일이 안 생길 거 아이오…."

'역사마저 침묵한 슬픈이야기'라는 시작으로 뮤지컬 꽃신이 상영되었다. 사람들은 신나는 재밌는 이야기에는 관객이 몰려도 우울한 일에는 동참하고 싶어 하질 않는다. 특별한 친분이 있어야 인사차 형식상 예를 갖추는 정도인데 관람하고 보니 이건 바로 우리의 이야기였다. 전쟁을 겪어 보지 않은 우리에게 어머니는 '전쟁이 나면 일을 당하는 건 노약자나 특히 여자들이 문제'라고 말씀하신다. 헤아려 보니 어머니도 그 시절 일본 교육 받았고 결혼했으니 다행이지, 위험했을 거라고 뮤지컬을 보며 생각한다.

일제강점기 성적 희생을 강요당한 '위안부'를 소재로 하여 궁극적으로 현대 사회에서도 여전히 자행되고 있는 여성 인권 유린에 대한 고찰을 그린 작품이다. 보기 전엔 뮤지컬이라면 '맘마미아' 같은 신나는 아바의 음악과 함께 경쾌한 스토리만 아니라 이런 것도 작품이 되나? 하고 생각했는데 보는 동안 안타깝다. 요즘처럼 어수선한 세계정세에 과연 할머니들 소원처럼 다시는 그런 일이 안 생길지 모를 일이다. 나라를 잊고 민족성까지 해이해지면 전쟁이 아니어도 사회문제가 시끄러운 판이니 이런 뮤지컬 보며 각성해야 할 일이다.

더구나 동방예의지국이던 우리나라에서 유일하게 정조 사상이 강조되다 보니 다른 나라에서 이런 일들을 과연 우리만큼 심각하게 생각할지 의문이다. 최근 한국계 미국인이 이 소재의 소설을 써 베스트셀러가 되긴 했지만 이젠 다문화사회가 되니 우리 배달의 단일민족도 주장할 일이 없어졌고 요즘 세상이 이래서 일본도 자신들의 저지른 행동에 대한 죄를 더욱 인정하지 않는 것 같다. 여자들도 그런 사람 있긴 하지만 원래 남자들이 자신의 죄를 솔직히 인정하지 않고 호언장담하는 경향도 있다. 정치에서도 보면 단순히 아니다. 그렇다를 남자답게 확실히 구분하여 인정하면 끝날 일도 그걸 무마하려고 구구한 사설과 변명으로 허세를 내세우며 피하려고 또 다른 일을 꾸미고 있으니 일은 점점 더 복잡해진다.

내용은 무대가 한정되어 있으니 단순하다. 주인공은 나라 잃은 속에서도 평화롭게 소박한 생활을 하는 사람들이다. 일제의 장난으로 인권 유린된 속국의 서민들은 노예되어 그들의 계략에 힘없이 끌려다녀야 한다. 시집가는 날, 축하로 가난한 신부의 아버지는 꽃신을 삼아 사위에게 주며 신겨주라고 했지만 때마침 나타난 병정들에게 행복한 모습이던 처자는 이름 모를 곳으로 끌려가고 남자는 징병으로 끌려가야 한다.

그곳에서의 생활을 무대에 다 올리기엔 부족하다. 정신이상자도 되고 인간이기를 포기해야 하는 생활 속에서 그래도 살아남는 것이 다행이었을까? 작품 속에선 일본인이면서 일본군의 잔인한 형태를 환멸하는 여군이 등장하는데 그 시절에 그런 사람이 있긴 했을까? 요즘 한일간 문제에 일본인이면서 우리나라 입장을 주장하는 사람도 있는 걸 보면 얼마 정도 속은 알 수 없어도 있을 것 같다.

해방되어 아버지는 간직했던 꽃신을 사위에게 전해주고 이 세상을 떠나고 신부를 우연찮게 만났지만 이미 엎지러진 물- 시대를 잘 못 만난 걸 어찌해야 하는가.

– 나흘 전 또 한 명의 '꽃신' 주인이 세상을 떠났다. 눈을 감기 전 마지막 순간, 떠올린 그림은 무엇이었을까, 젖내 나는 따스한 엄마 품에 안긴 어린 시절이었을까, 꽃신 신고 동무들과 들로 냇가로 소풍 가던 소녀 시절이었을까, 정말 그랬다면 좋겠다.

90세 된 그분이 돌아가시면서 정부에 등록된 위안부 피해자 중 생존자는 55명으로 줄었다. "일본군이 문밖에 와 있어…" 10여 년 전부터 그 할머니의 양아들로 지내며 돌봐온 구청의 한 사회복지과 직원은 할머니가 밤늦게까지 잠들지 못하시다가 전화 걸어와 이렇게 말하셨다고 한다. 귀신을 만나도 두렵지 않을 아흔이 된 할머니가 가장 무서워한 것은 악몽 같은 위안부 시절 일이다. 85세 이상의 할머니들은 공연 현장에 나와 고마워했고 눈물을 흘렸다. 제작진이 강조한 말은 "이번 작품을 생계로 삼으면 안 된다"는 것이어서 제작과 스태프, 출연자들은 재능기부 형식으로 작품에 참여했다고 한다. – 이상은 언론보도된 오피니언 여기자의 기사이다.

역사마저 침묵한 아픈 이야기를 애절한 음악과 탄탄한 스토리로 꾸며져 끝나고 쉽게 자리를 뜰 수 없었다. 뮤지컬을 보며 부모님과 형제들의 상황을 생각해 보니 새삼 가슴이 콕콕 쓰리다.

꽃신의 주인공은 피했지만 부모님처럼 일제시대에 공부한 8, 90대 할머니들은 일본을 가면 언어가 통하니 좋아하신다. 불행인지 다행인지 그 덕에 외국어 하나를 쉽게 배울 수 있었다. 해방 후에는 외국선교사들 덕에 영어도 쉽게 배워 통역하던 사람도 많다.

그 덕에 어르신들은 잘 된 사람도 있고 나락까지 떨어진 사람도 있고 극과 극의 차이 나는 생활이고 이조말엽을 지나면서부터 나라와 함께 70년대까지 역사적 사건을 고루 겪었다. 50년대 6·25

전쟁의 큰오빠들은 고교 졸업생이나 납치 당하고 남은 언니는 중학생 오빠도 피난살이를 하느라 학교생활은 늦어진 채 애를 먹었다. 70년대에 와서야 그래도 조금 잘 살게 되지 않았나.

이 작품은 결코 간과할 수 없는 가슴 아픈 우리 역사를 바탕으로 한 탄탄한 드라마와 깊이 있는 작품세계를 통해 현대의 여성인권과 아동인권에 대한 메시지를 전한다. 이 시대에도 이 못지않은 공개되지 않는 일이 많다. 우리 역사에 대한 바른 시선과 지금도 자행되고 있는 여성 인권과 아동 인권 유린에 대해 의문을 던져줄 작품이다.

지금도 일본 정부는 일본군 위안부의 존재를 인정하지 않고 있으며 오히려 '자발적으로 참가했다'고 억지 주장을 펼치고 책임을 회피하려고 하니 어찌 보면 그런 형편이 더 일본을 우쭐하게 만드는 속상한 일이기도 하다.

사상은 다르나 같은 민족 간에도 타국에 의해 양분되어 말 그대로 휴전인 채 내분 아닌 내분이 계속되고 있다. 내분하여 퇴진하는 다른 나라들과 다를 것이 무엇인가, 강 건너 불구경하고 굿이나 보고 떡이나 먹자는 심리들, 그러니 일본이 더 사이를 갈라놓고 싶어하지 않는가, 자신들도 엉뚱한 선전물 띄워 신호를 보내면서 억지 쓰고 말 안 통하는 성급한 사람들과도 일단 휴식을 가져보는 건 어떨까? 우리나라는 왜 이리도 난감한 형편에 처해야 하는지 영원히 풀지 못하는 실타래인가?

우리만이라도 하나로 집중하여 정성 들인 꽃신 신고 저 넓은 세상 향해 펄쩍 뛰어보면 좋겠다.

미술 감상
도심의 여유

 매미 소리가 잦아든 걸 보니 가을이다. 꽃들도 서둘러 피고 지고 땀 흘리다 장마도 흐지부지 말복이자 입추다. 바람이 서늘하고 파아란 높은 하늘 한창시절 문화행사 열심히 찾듯 오랜만에 20세기 위대한 화가들의 작품을 감상하러 나선다.

 미술의 혁신을 가져온 인상주의부터 현대미술까지 격변의 20세기를 보낸 미술의 다양한 사조와 전반적인 흐름, 시대를 달리하며 이끌어온 53명의 예술가가 보여주는 회화, 콜라주, 조각, 미디어 등 다양한 매체를 아우르는 104점의 작품이다. 역사적 사건과 문화, 다양한 시대적 배경이 빚어낸 예술의 호흡은 자연스럽게 여러 미술사조의 탄생의 배경이 되고 이를 바탕으로 다양한 변화를 거친다.

빛의 유연함을 보이는 인상주의의 모네와 르노와르, 선명하고 파격적인 색채의 야수주의 화가들 마티스와 불라맹크, 입체주의의 피카소와 브라크, 무의식의 영역을 탐험한 초현실주의자 달리와 마그리트. 2차 세계대전 이후 예술의 변화는 미국의 쿠닝을 비롯해 추상표현주의가 한창인 유럽은 앵 포르멜로와 장 뒤뷔페도 탄생했다. 빅토르 비사렐리와 옵아트는 회화의 새로운 가능성을 보인다. 우리의 백남준이 보여준 미국의 대중문화의 탄생과 앤디 워홀은 팝아트, 파리의 신사실주의(누보레일리즘)인 이브 클라인과 아르망, 영국의 1965년대 눈길을 끄는 데미안 허스트 이후 현재까지 유럽과 미국을 오갔던 미술의 중심지 이동은 현재 세계 각곳으로 흩어져 다양한 예술이 깨어나고 있다. 미의 기준도 발전인지 퇴보인지 예술의 한계도 분간이 서질 않는다.

1840년 로댕을 시작으로 르노와르를 거쳐 생소한 화가들과 시대의 흐름만큼 변화무쌍한 한눈에 표현된 내적세계다. 1980년대 주목받는 스트리트 아트는 예술작품을 미술관으로 한정하지 않고 정치적–사회적 발언의 수단으로 삼는 작가와 여전히 회화의 아름다움에 심취한 작가들이 존재한다. 즉 '우리 모두가 다 예술가다'라는 단언은 그렇게 느끼게 만들고 그 안에서 또 다른 질서가 확립된다. 현재 많은 예술가들이 무엇을 주제로, 무엇을 대상으로 무엇을 위해서 예술이 있는가 고심한다. 뉴욕, 마이애미, 모나코,

홍콩 등 세계 12개국에서 수집된 거장들의 오리지널 작품이 그림에 그리 깊지 않은 내게도 꽃처럼 다가온다. 자연의 모든 것이 예술이듯이 인위적인 것으로 느끼기엔 한정된 공간이지만 세계인들의 마음을 재인식하고 잠시나마 상상의 나래를 펼치며 평안을 찾는다. 채색옷 입는 가을 세상도 한 폭의 그림이다.

화가 이중섭

은박지에 그린, 평범을 사랑한 삶

예술가들의 삶은 복잡해 보이는 경우가 많다. 특히 외국 예술가들은 가정으로나 사회적으로나 순탄치 않은 길 같아 보이고 그에 비해 한국 예술가들은 단순한 삶이다.

그 이유 중 하나가 가화만사성처럼 가정적 요인이 기본 큰 문제로 연관되는 환경 사회 나라도 예술 활동에 원인이 되고 뿌리가 된다. 평범한, 평화로움 속의 작품은 그저 단순한 묘사이나 영향이 나타나는 그런 작품의 세계는 심리학적으로 환경과 시대 배경까지 잘 나타나 독자들도 이해할 수 없는 상상의 몫을 한다. 작품의 개성이 달라 단순한 그림을 시작하며 사실 타인의 전시회, 더욱 이해할 수 없는 추상화 감상은 점점 멀리 하게 된다.

최근 사실적 그림 이중섭 탄생 〈100년의 신화〉 전시회가 열렸다. 탄생 100년, 작고 60년 만에 빛을 보이는 역사상 처음인 이중섭의 개인전이라 한다. 나라가 있고도 없던 비극의 역사에 예술가의 꿈과 좌절의 경로가 오늘을 사는 우리의 행복의 지표, 삶과 예술의 의미를 다시 돌이켜 보게 한다. 작품들은 대작은 많지 않고 많은 부분 전시된 은지화와 일본 아내와 아들에게 오간 그림편지들은 가족사랑의 相思花, 畵로 전달되고 여러 모습의 황소를 강한 표현은 못하는 여린 마음과 자연 풍경의 소망이 보는 이의 마음을 착잡하게 한다.

제주도 상설 기념 전시관에서 일부 보았으나 대대적인 작품을 관람한 건 처음이다.

이중섭은 일본 강점기(1916~1956)에 평안도 부유한 가문에서 태어났다. 나라 잃은 식민지에서 그 어느 것도 제대로 뜻을 펼치지 못한다. 장점이랄지 평양, 정주, 요행히 도쿄로 유학했으나 해방 후 동족의 비극인 한국전쟁도 당시 많은 예술가와 지식인들을 병들게 했다.

평양에서 정주 오산 고교를 거쳐 예일대 출신 미술교사의 지도로 미술공부를 시작했다. 36년 일본 도쿄의 제국미술학교를 거쳐 당시 일본에서 가장 자유로운 분위기의 사립학교 문화학원에 41년까지 유학했다. 그곳에서 자유미술가협회에 작품을 발표해 일본에서 호평을 받고 협의회 회원으로 활동도 했다. 43년 태평양 전쟁으로 힘들 때 원산으로 귀국했고 45년 해방 직전 일본인 학교 후배와 원산에서 결혼하였다. 50년 원산폭격을 피해 어머니는 남겨둔 채 아내와 두 아들과 제주도, 부산 등지로 피난했다. 그동안의 작품은 모두 어머니 곁에 남겨두어 1950년 이전 작품은 극히드물다. 전쟁 직후 통영, 서울, 대구 등지의 열악한 환경에서 작품활동을 지속하긴 했다. 그건 가장으로서 일본아내와 두 아들을위해 식민지, 전쟁, 분단으로 얼룩진 나라 안에서 끈질긴 예술가의 삶을 고집했다.

51년 부산과 제주 피난민 촌을 전전하다 52년 아내와 두 아들이 일본으로 간 후 작품 활동과 전시회 잡지 삽화 도서 표지화 그리기 등을 홀로 계속한다. 부산에서 제작된 수많은 작품은 대화재로 대부분 불타 없어진 것으로 전해진다. 문학적 표현처럼 그림에서도 민족 상징인 소를 그려 한없이 암울한 현실을 자조하는 그림을 남겼다. 피란시절에도 주로 자연 속에서 가족과 행복한 시절을 보내는 순진무구한 아름다움으로 표현하기도 하고 전쟁 후에는 강렬한 의지와 자신감으로 힘찬 황소 작품들로 표현하였다.

한국의 정통미감이 발현된 민족의 화가이기를 소원했다. 그러나사랑하는 가족과 헤어진 후 사기로 인한 빚에 시달렸고, 경제적생활고 속에 거식증을 동반한 정신질환으로 불행한 나날 젊은 나이에 쓸쓸하고 애잔한 작품들을 남긴 채 홀로 세상을 떠났다. 그래서 그런지 작품들은 힘이 없어 보인다.

50년대 앞선 그림들은 많지 않고 이중섭이 창안한 은지화는 양담배를 싸는 종이에 입혀진 은박을 새기거나 긁고 그 위에 물감을 바른 후 닦아내면 긁힌 부분에 물감 자국이 남는다. 그렇게 깊이 패인 선으로 드로잉이 완성되는데 평면이면서 층위가 생기고 반짝이는 표면효과로 매력적인 작품이다. 이런 기법은 고려청자의 상감기법이나 철제은입사 기법을 연상시킨다.

상당히 오랜 기간 약 300점의 은지화를 제작했다. 아마도 물감과 캔버스를 구하기 힘들어 주변에 있는 은지를 사용한 듯하다. 서귀포 시절 행복한 가족들의 모습과 추억의 모습, 비극 사회 상황과 자신의 처참한 현실을 암시하는 내용에 이르기까지 매우 다양한 장면들이 예리한 칼로 그려져 있다. 은지화는 연습 그림처럼 후에 벽화를 그리는 밑그림이라고 말하기도 했다. 그는 그 시기 서양의 벽화가 성행한 것처럼 거대한 벽화를 그려 예술이 공공장소에서 많은 이에게 향유되는 꿈을 가졌다. 은지는 약해서 한번 선이 잘못 그어지면 고칠 수 없는데 작은 그림이나 연필로 스케치된 밑그림의 흔적 없이 단번에 제작된 듯 존경스럽다. 이런 작업들이 후에 나전칠기 강사시절에도 접목되어 있을 것 같다. 전쟁이 끝날 무렵부터 직후 1954년까지 통영 나전칠기견습소에서 강사로 재직하면서 비교적 안정적 환경에서 작품 활동을 했다. 아름다운 통영의 풍경을 유화작품으로 남기고 유명한 소도 이때 연작으로 제작되었다. 이중섭의 개인전(4인전)이 최초로 열리기도 했고 본격적 화가의 경력을 쌓았다.

한국전쟁 중이던 52년 아내와 두 아들을 일본으로 보내고 여러 지역을 홀로 떠돌며 가족들에게 수많은 편지를 보냈다. 처음에는 곧 가족을 만날 수 있다는 생각으로 즐겁고 다정다감한 내용이다. 그림을 곁들인 재미있고 사랑스러운 편지였으나 휴전이 지난 55년 중반 이후 점차 절망으로 빠져들며 편지를 거의 쓰지 않고 아내로부터 온 편지를 읽어 보지도 않았다고 한다. 지금까지 남아 있는 것은 약 60통, 160매에 이른다. 이 편지는 생애와 작품의 관계를 연구하는 근거자료가 되며 자유자재의 글씨와 즉흥적인 그림이 어우러져 예술작품으로 손색이 없다.

　가족들과 떨어져 홀로 서울 지인의 집에서 기숙하며 55년 미도파화랑에서 열리는 개인전을 준비하였다. 일본의 아내가 일본에서 책을 사다 한국에 판매하여 그 차액으로 수입을 내기도 했으나 중간업자가 돈을 떼먹어 극심한 빚에 시달린다. 빚을 갚고 일본의 가족들을 만나려고 개인전으로 작품을 팔기 위해 필사적인 노력을 한다. 작품은 팔렸으나 어려운 시절이라 수금이 되지 않았다. 서울 전시에 이어 그해 대구에서도 개인전을 개최한다. 절친한 친구 시인인 구상의 도움으로 개최했으나 서울보다 더 비참했다. 이 일로 가장의 역할도 못하고 예술을 한답시고 공밥을 얻어먹고 무슨 대단한 예술가가 될 것처럼 세상을 속였다고 자책하며 거식증을 동반한 정신적 질환에 시달렸다. 대구 왜관에 머물러 요양생활과 작품 제작은 계속한다.

　이때(55년) 친구 〈시인 구상의 가족〉을 종이에 유채로 그린 그림이 남았다.

56년 병원을 전전하다 55년 12월경부터 정릉의 한묵, 소설가 박연희, 시인 조영암 등과 함께 생활한다. 이때 문예지 삽화를 그리기도 하고 〈돌아오지 않는 강〉 연작(임옥미술관 소장)을 포함한 마지막 작품들을 남겼다. 결국 거식증으로 인한 영양실조, 간장염 등으로 다시 병원생활을 하다 56년 9월 6일 적십자병원에서 무연고자로 생을 마감한다. 친구들의 도움으로 서울 망우리공원에 묘소와 묘비가 마련되었다.

이중섭은 타고난 재능으로 그림을 배우고 그리고 삶의 수단으로도 계속하고 싶어 했다. 범인으로 가정 꾸리며 부모님 모시고 사는 삶, 나라가 뒤엎어져도 한 개인의 사생활은 영유될 수 있을 줄 알았는데 그게 아니었다. 이 세상에 태어나는 한 거의가 평범하기를 원한다. 유명인 중에도 열심히 살다보니 어느 날 만인의 앞에 서 있다고 하는 사람도 있다. 주어진 삶을 고통없이 평온하게 사는 사람 있을까? 무슨 목적으로 사는지 지금도 활화산 같은 세계 환경은 점점 뜨거운 지구의 여름날처럼 숨 막히게 한다. 그래도 그때보다 아직은 마음대로 무슨 활동이든 할 수 있는 좋은 때, 보여진 모습이 지금 내 자리를 내 나라를 다시 성찰하게 한다.

이태리 문학기행
은혜 풍성한 가을의 기도

아름다운 10월 그중에서도 마지막 날 마지막 밤에

10월과 11월을 연결하며 다녀온 이태리 심포지엄 및 문학기행-

누구나 가고 싶어 하는 낭만의 나라, 이탈리아 더구나 로맨틱의 도시 로마를 여행하는 꿈같은 일이 일어났다. 여러 번 방문하긴 했지만 문학세미나로 문인들과 함께 한 여행은 처음이다.

우리나라처럼 반도라서 친근감 있고 나라 자체가 장화 모양으로 자리잡아 고대를 연상케 하고 모든 길은 로마로 통한다는 말을 실감하게 한다. 모든 이들 특히 동양인에겐 꿈의 여행지로 동경하는 곳, 여행은 언제나 갖가지 조그만 불상사가 있어도 지나고 보면 미소를 짓게 한다. 미국이나 유럽은 장시간의 비행기 탈 일과 낮과 밤의 시차제가 따른다.

우리나라도 다 돌지 못하나 이곳도 유명한 곳은 몇 번 다녔고 갈 때마다 새로운 곳 몇 곳은 첨가된다. 가톨릭 신자에겐 신성시 되는 곳 이번엔 교황이 프란체스코 1세가 되고 보니 '성 프란체스코' 고향 '아시시'는 꼭 가봐야 할 곳이다. 어이없게도 즐겨 부르던 '평화의 기도'가 그 성인이 친구에게 쓴 기도 편지인 것을 이제야 알았다니….

"주여 나를 평화의 도구로 써 주소서. 미움이 있는 곳에 사랑을,

다툼이 있는 곳에 용서를, 분열이 있는 곳에 일치를,

의혹이 있는 곳에 믿음을 심게 하소서

그릇됨이 있는 곳에 진리를, 절망이 있는 곳에 희망을,

어두움이 있는 곳에 광명을, 슬픔이 있는 곳에

기쁨을 가져오는 자 되게 하소서.

위로받기 보다는 위로하고, 이해받기 보다는 이해하며,

사랑받기 보다는 사랑하며 자기를 온전히 줌으로서

영생을 얻기 때문이니

용서함으로 용서받으며, 자기를 버리고 죽음으로

영생을 얻기 때문입니다."

– 주여 나를 평화의 도구로 써 주소서 –

원문과 우리의 노래 가사는 작곡가의 형편대로 조금씩 달라져 있으나 성인의 마음은 고스란히 담겨 우리의 마음을 움직인다. 우리가 동경하는 그러나 순탄치 않았던 로마는 예수님 당하신 것처

럼 그 성인의 여정 흔적을 더듬게 한다.

유럽의 모든 나라가 찬란한 고대의 역사와 아름다움과 예술의 극치를 자랑하며 담고 있듯 이탈리아도 그렇다. 특히 로마는 바티칸 시국이 있어 종교적으로도 우세한 전지전능의 하나님이 보호하시는 것 같은 든든한 마음을 갖게 한다. 감동과 감탄으로 미로같이 진열된 작품들 감상하고 시스티나 성당에서 입이 딱 벌어진 채로 목이 꺾일 것처럼 미켈란젤로의 천장벽화 천지창조를 잠시 아픈 다리 추스르며 보조의자에 걸터앉아 본다. 교황의 명령으로 한 일이나 사람으로서 전지전능하신 하나님께 드리는 영생의 충성된 헌신 같아 입이 다물어지지 않는다.

하나님 지으신 모든 세계가 다 아름다운 인간이 자신들의 부귀를 위해 만든 온천지가 예술작품 가득한 속에서 우리는 준비된 세종대왕이 주신 아름다운 한글로 심포지엄과 문학의 시간을 펼친다. 이탈리아는 단테의 신곡이 우리에게 알려지듯 그의 동상이 있다.

가벼운 마음으로 수필가협회 한국 문학의 교류를 알리는 시작으로 이태리 기행과 겸한 심포지엄이었으나 처음이고 제한된 자리라서 기대하지 않았는데 자리를 마련한 로마연합교회의 배려로 홍보의 시작과 앞으로 지속적 관계는 이루어질 수 있을 것 같은 희망이 생겼다. 집 떠나면 내 집이 그리워지듯 외국에선 모두 애국자가 되는 것처럼 우리 유학생들의 콘서트 음악의 향연은 더욱 우리 민족의 자랑스러움을 보여주기에 충분했다.

13세기 말 문예 부흥기를 전후해 이탈리아에서 일어난 국민 문학은 이탈리아어로 쓰여 있으며, 단테, 페트라르카, 보카치오 등을 중심으로 이루어졌다. 이탈리아 초기 중세문학에서는 이탈리아어의 변화와 밀접한 고난과 시련을 맺으면서 발전했다. 이탈리아 문학의 시초라 할 수 있는 작품은 아시시의 성자 성 프란체스코가 13세기에 민중들의 언어로 지은 피조물들의 찬가를 예로 들 수 있다고 한다. 새와 초목과 대화를 했다고 하는 이 성자는 움브리아 지방어로 자연 만물을 노래했고 이어 시칠리아 지방 프리드리히 2세의 궁정에서는 돌체 스틸 누오보, 즉 새롭고 부드러운 양식이 등장했다. 이에 맞춰 영적인 사랑을 노래한 서정적인 민요들이 유행하며 많은 시들이 지어 전래되었다. 인문주의자였던 시인 페트라르카는 칸초니에레에서 사랑하는 여인을 향한 연정을 노래해 이탈리아 밖에까지 이름을 알리고 또 한 사람의 중세 문학가를 든다면 데카메론을 쓴 보카치오가 있다.

2015년 10월 초 서울국제도서전의 주빈국은 이탈리아다. 이탈리아가 주빈국이 되기는 처음이다. 조에 원장이 코엑스 부스에서 바쁜 가운데 짬을 냈다. 안젤로 조에 주한 이탈리아문화원장은 이렇게 밝혔다. '연못에 던져진 돌 하나는 중심에 물결을 만들고, 표면으로 퍼져갑니다. 그 움직임은 수련, 갈대, 종이배, 어부의 부표에 다양한 영향을 주며 멀리 퍼져갑니다. 단어도 크게 다르지 않습니다. 가슴 속에 우연히 던져진 단어 하나는 외면과 내면에 물결을 일으키며, 일련의 끊임없는 반작용의 고리를 만들어냅니다. 우연히 떨어진 단어 하나를 통해 소리와 이미지, 비유와 기억, 그리고 의미와 꿈들을 자아냅니다. 잔니 로다리의 이러한 생각은 2015 서울국제도서전에 주빈국으로 참여하는 이탈리아관의 컨셉입니다.

단어 하나, 단어들, 그리고 그들을 담고 있는 것이 책입니다. 글은 세상의 업적을 기록합니다. 책을 읽는 사람은 다른 사람의 삶을 살기도 하며, 다른 사람과 상호관계를 맺도록 허락합니다. 독서는 자기 자신을 가꾸기 위한 중요한 수단입니다. 책을 읽기 위해 할애하는 시간은 사랑하는 시간이며, 우리 삶의 시간을 확장시키는 것입니다.

이탈리아관은 독서에 대한 진정한 사랑의 표명입니다. 모든 사람들이 독서를 하게 되기를 염원합니다. 의식 있는 선택을 통한 독서는 자유의 상징이기 때문입니다.'

* 마로1 [Marot, Clément]
프랑스의 시인(1496~1544). 궁정 시인으로 프랑스의 시의 왕이

라 불린다. 종교 개혁의 동조자로 몰려 종교적 박해를 받으면서도 이탈리아 문학의 영향을 받아 프랑스 최초로 소네트 작품을 발표했다.

＊ 군둘리치 [Gundulić Ivan Franov]

크로아티아의 시인(1589~1638). 이탈리아 르네상스 문학의 영향을 받았으며, 작품에는 서사시극 〈오스만〉과 목가극 〈두브라프카〉 따위가 있다.

＊ 문예부흥2 [文藝復興]

1873년에 영국의 비평가 페이터가 『르네상스사(Renaissance史) 연구』라는 제목으로 발표한 예술 평론집. 13세기 프랑스 문학을 비롯하여 15세기 이탈리아의 문학과 미술을 중심으로 18세기 독무대였다.

＊ 베리스모 [(이탈리아어) verismo]

19세기 이탈리아에서 일어난 문학·음악상의 운동. '현실파'라는 뜻으로 자연주의가 이탈리아에서 발전한 것인데, 당시의 반낭만적 오페라 작곡가 레온카발로, 마스카니 등의 오페라 등.

이탈리아는 음악 미술로 알려져 있지만 이 모든 것이 종교적인 것에서 발생되었고 문학 역시 그렇게 발전되어 있는 것이다.

이번엔 트레비 분수가 홍수로 보수공사 중이라 못 보았지만 전에도 두 번 방문한 일이 있어 언젠가 던져진 동전으로 다시 이탈리아를 갈 수 있었던지 그동안 못 본 피사의 사탑을 돌고 온 것이 또한 다행이다.

　로마 시월의 마지막 날 문학콘서트 이번 문학세미나는 단순한 맛보기로 시작되어 그곳에 잠재한 대표적 예술의 문예부흥을 눈과 가슴에 담고 왔고 다음엔 아직 못 가본 이탈리아 전역을 돌며 이탈리아 대사관과 문화원을 통해 좀 더 깊이 문학인과 문화교류를 지속시켰으면 하는 욕심 많은 기도를 해본다.

대상의 특징을 응시하며 밑그림에 충실한
- 김현찬의 수필세계

윤재천(한국수필학회 회장, 전 중앙대 교수)

수필은 현상을 그대로 표현할 때도 있지만, 한 사물 속으로 접근하며 마음의 파장을 그려나갈 때 그 의미가 있다. 필터로 걸러내지 않은 물은 생수의 역할을 제대로 못하듯, 현상만을 그려내는 글은 문학으로서의 힘을 퇴색시킬 수가 있다.

인간학人間學인 수필은 한 생명의 흔적을 들여다보게 하고, 밤새워 쓴 편 편의 글은 얼마만큼의 작업을 거쳤느냐에 따라 그 깊이가 달라진다. 독자를 의식하며 자신을 드러내고 싶은 부분이 장르의 특성으로 흘러가고 있지만, 술이부작述而不作 - 적기만 하고 짓지 않는 기록은 문학으로서 위험요소를 지니게 할 때가 있으므로, 문학성과 함께 글쓴이의 내면을 들여다볼 수 있을 때 작품으로서 가치를 발휘하게 된다.

글은 발표되고 나면 독자들의 영역에 속하게 되므로 작품 행간에 원대한 뜻이 담겨 있어야 한다. 문학성을 지니려면 창의력이 바탕이 되어야 하고, 열린 마음으로 세계를 껴안을 수 있어야 한다. 작가의 저변적인 사유를 중심으로 많은 것을 수용하며 시대를 따라가는 정신으로 글을 써야 한다.

이때 중요한 것은 사물 뒤편에 숨어있는 상상력을 끄집어내는 일이라고 생각된다. 눈앞에 없는 실체를 상상하며 이미지화하는 것이 쉬운 일은 아니지만, 현상을 변환하며 독자의 시선을 붙잡는 작업이 중요하기 때문이다. 그것은 현상을 뛰어넘어 현상 이상의 것을 구축함으로써 체험과 경험, 자신의 철학을 확대해 나갈 때 가능하다.

수필에 있어 상상력만큼 그 한계성을 극복할 수 있는 방법이 많지 않다. 이때 상상력은 허구와는 다르므로 현상을 확장시켜가는 도구라고 할 수 있다. 수필은 때로는 '나'에 대한 사변과 변명으로 일관될 때가 있으나, 그 자체를 잘 조율하며 문학성이 있는 글, 시대를 따라가는 글을 써야 한다. 소재와 주제가 막연하면 글을 쓰는 행위가 불투명하게 되지만, 글을 쓸 재료를 압축시켜 그 의미를 형상화할 때 바람직한 수필이 될 수 있다. 보편적인 소재와 주제라 해도 반죽이 잘 된 기법, 남다른 철학만이 튼실한 작품을 구현할 수가 있다.

김현찬의 수필세계를 따라가 보기로 한다.

훈데르트바서는 전통적인 색의 조합에서 벗어나 보다 자유롭고 대담한 칼라들을 구사했고 특유의 생각을 회화에서 색을 특별히 조합하는 탁월한 능력으로 작품에서 화려하고 다양한 칼라를 보여준다. 그의 색채는 원색인 듯하면서도 요란하지 않은 밝음을 표현하여 작품 앞에 서면 남녀노소가 환한 얼굴과 그저 감탄사와 더불어 입이 열릴 만큼 그냥 즐거운 느낌이 든다.

— 「인간과 자연의 조화」 중에서

훈데르트바서의 작품세계와 그 사상을 소개하는 작품이다.

화자 김현찬은 특별전을 통해 그가 추구하는 철학과 예술성, 작품세계를 소개하고 있어, 화자는 인간의 창조물과 자연의 창조물을 중요하게 생각하며 조화로운 삶을 살아가길 갈망하는 사람이다.

인간의 욕망과 끝없는 만용은 자연과의 조화를 단절시키므로, 좀 더 안전하고 평화로운 삶을 살아가기 위해서는 자연 앞에 겸손히 살아가야 한다는 메시지를 제시하고 있다.

훈데르트바서는 오스트리아 화가로서 인간과 자연의 조화를 꿈꾼 사람이다. 그는 화가뿐만 아니라 건축 치료사, 환경운동가로서 "자연은 인간이 기댈 수 있는 유일한 힘, 창조의 힘"임을 깨닫게 한다. 그의 작품은 2010년 이래 한국에서도 4번 전시, 꿈꾸는 나선의 예술가로 통용되고 있다. 늘 새로움에 도전하며 다양한 삶을 살아가는 사람이라 본인의 이름까지 자주 바꾸었다고 전해진다.

사물과 대상과의 만남은 인연이다. 대상에 대한 그 어떤 끌림이 인연으로 다가간다. 글을 쓸 때는 눈에 보이는 현상만을 쫓아가다 보면 한계에 부딪치게 되므로 삶의 현장, 상상의 세계를 확장시키며 끌림의 대상을 찾아나서는 것이 중요하다. 그 만남을 통해 많은 것을 깨달아갈 때 내면을 확장시킬 수가 있다.

인연에는 선연도 있고 악연도 있지만 그 현상도 업보라고 할 수 있다. '인연이 강하면 끌림도 강하다'는 도암 스님의 말에 귀를 기울이게 한다.

「인간과 자연의 조화」는 조화로운 삶을 살아내고자 하는 화자의 메시지가 담겨있다. 그것은 인간과 자연의 조화를 통해 피차간에 치유되는 삶을 살아내고자 하는 마음이다.

하나님과 성인聖人들 빼고 온전한 사랑을 할 수 있을까. 이성 간의 사랑은 이해하고 서로 통하지 않으면 상처 입을까 고백 못하고 부모에겐 사랑한다는 말을 해도 될 텐데 진심이 담긴 그 말 한마디가 쉽지 않다. 열 손가락 깨물어 안 아픈 손가락 없어 내리사랑은 당연한 일이고, 형제자매 사이는 왜 투닥거리게 되는지 모두 가신 후에야 가슴 속 남아있는 못 다한 한마디가 메아리가 된다.

– 「해바라기 사랑」 중에서

「해바라기 사랑」은 '못다 한 한마디'에 대해 아쉬워하는 작품이다. 해바라기는 꽃말이 부의 상징으로 통용되고 있지만, 한편으론 일편단심의 의미를 지니고 있으며, 동경과 숭배, 애모와 기다림을 상징한다.

화자는 해바라기에 대한 전설을 소개하며 두 요정과 태양의 신 아폴론의 삼각관계를 제시한다. '안타까운 사랑이나 좋아하는 사람이 있다면 자신의 마음을 표현하면 좋을 것 같다'고 말하고 있다. 세상을 살아가는 원동력이 사랑임을 깨닫고 있음에도, 맹목적 필요에 따라 움직이는 게 사랑이라며 그 본질에 대해 고민한다.

화자는 '원수를 사랑하라'는 종교적인 사랑에 관심을 두고 있지만, 이성 간의 사랑은 서로 이해하고 통하지 않으면 상처 입을까 고백을 못하고, 부모에게도 진심이 담긴 한 마디의 말이 쉽지 않음을 고백한다. 만물을 감싸 안을 수 있는 아가페적인 사랑과, 상호적인 관계임에도 뜻대로 되지 않을까 염려되는 에로스적인 사랑을 소개하고 있어, '해바라기 사랑'을 헤아려 보게 한다.

온전한 사랑은 존재 불가능하다. 신이 아니고서는 완벽한 사랑을 할 수가 없다. 이성 간의 사랑은 말할 것도 없고 부모형제에게도 '사랑한다'는 말을 솔직하게 고백하기가 쉽지 않다. 화자의 고민처럼 그들이 세상을 떠난 후에 비로소 '못다 한 한마디' 때문에 가슴을 쓸어내리게 하는 것이 사랑의 현주소다. 세상에는 이타적인 사랑도 있지만, 소유적인 사랑mania이 강해 방해물로 나타나기 때문에 감정이 기복이 심하게 나타난다.

사랑의 본질은 결핍을 통해 무언가를 추구하는 정신이다. 시인 장석주가 '사랑할 수 있는 이를 사랑하는 것은 사랑이 아니다'라고 했듯, 해바라기 사랑이 상징하는 것처럼 미완성의 사랑이 더 의미가 있다. 그러나 톨스토이는 '과거와 미래의 사랑의 존재는 환영幻影에 불과하고 현재만이 중요한 사실'임을 강조한다.

兄弟에 대한 여러 속담이나 격언에서 우애보다 다툼을 소재로 한 게 더 많다. 유태인 속담에 적敵이 되고 만 형제는 그 어떤 적보다 심하다는 말이 있다. 터키에선 형제 사이도 돈에서는 남이라 하고, 한 술 더 떠 일본에서 형제는 남이 되는 시작이라고 한다. 성경에도 동생을 죽인 카인이 등장하는 걸 보면 골육상쟁은 인간에게 내재한 원초적 본능일지 모르겠다.

　　　　　　　　　　　　　　－「가깝고도 멀고도 가까운 길」 중에서

'가까운 사이'에서 다툼이 드러난다는 메시지를 전하는 작품이다. 그것을 감지한 화자는 글의 제목을 '가깝고도 멀고도 가까운 길'이라고 말하고 있다. 가까운 사람과의 관계는 그 과정에서 '삶을 살아내야 하는 부수적인 일'이 만만치 않음을 제시한다.

통례적으로 현대에는 가깝고도 먼 사이가 며느리와 시어머니, 형제자매의 관계로 드러나는 세상이다. 그 틈새에는 '형제 사이에도 돈에서는 남'이라 하며, 그 관계에는 물질이 끼어있음을 알게 한다.

'적이 되고만 형제는 그 어떤 적보다 심하다'는 유태인 속담을 보더라도, 가장 가까워야 될 형제자매가 무서운 관계로 나타나고 있다. 혈육관계는 촌수로 따지면 2촌으로 부모 다음으로 가까운 존재지만, 에덴 이후 최초로 동생 아벨을 죽인 카인까지 소개되는 것을 보면 그 근원에 대해 의문을 갖지 않을 수 없다.

형제자매의 관계는 한 나무에서 자란 나뭇가지와 같음에도, 카인과 아벨같이 형제간에 극단적 사건이 발생했으니, '가까운 사람'과의 골육상쟁은 인간에게 내재된 원초적 본능임을 실감하게 한다. 형제간의 갈등과 사건이 구약성서 창세기에 소개되듯 카인과 아벨뿐 아니라 이삭과 이스마엘, 야곱과 에서, 요셉과 다른 형제들의 갈등구조를 보더라도 형제자매는 가깝고도 먼 사이임을 실감하게 한다.

문제는 악인인 카인이 살아남고 선인인 아벨이 죽임을 당했다는 것이 이 시대를 대변해 주고 있다.

형제자매는 한 부모로부터 맺어진 혈연으로 동일한 환경, 동일한 체험을 하며 자랐음에도 그 뿌리가 부모의 양육과정, 재산분배 과정, 독립된 이후 형제자매 간의 빈부격차가 '가깝고도 가장 먼 사이'로 드러나며, 그 요인이 되는 것으로 나타나고 있다.

나와 관계나 상관이 없는 곳은 가지 않으려는 습성 때문에 다소 주춤하지만 이만큼 살다보니 그런 것도 익숙해졌다. 내게 제한된 영역만을 고집하지 않으니 조금은 여유 있게 사나보다. 얼굴 모습도 40세 이후면 자신이 책임져야 한다는 것, 조금씩 둥글어져 모두가 두루뭉술해져 보이는 것, 이제는 매사를 따지지도 묻지도 않기로 했다.

– 「마음의 안식처」 중에서

퇴직 후 삶의 모습이 드러나는 작품이다.

규칙적인 삶에서 벗어나 불규칙한 삶과 적응하며 살아가는 화자의 모습이 나타나고 있다. 하지만 화자는 종교를 가진 사람이라 현직에 있을 때도 휴식 없는 삶을 살았음을 알 수 있다.

그러나 지금은 그 분주함에서 벗어났지만 '정해진 일 없이 하루가 시작되면 규칙적인 일이 아니라도 하루가 바쁘다'며 나날을 보내고 있다. '백수가 과로사한다는 말, 오라는 데는 없어도 갈 데는 많다고 하는 말'이 다소 코믹하기도 하지만, 오늘을 중요하게 생각하며 살아가고 있음으로 삶의 철학이 분명하다고 할 수 있다.

본래 화자는 성격이 다소 소극적이라 상관관계가 없는 곳에는 생각한 끝에 실현했지만, '이제는 매사를 묻지도 따지지도 않기로 했다'고 말하는 화자이다. 직선 같은 사고의 세계가 곡선적인 사고로 변하고 있음을 느끼게 한다.

화자는 글을 쓰는 사람이라 사물에 눈길을 주며 그곳에서 의미를 찾아내고 있다. 돌 틈에 핀 풀 한 포기를 보더라도 그 상인함에 놀라며 그 꽃을 닮아가고자 하는 모습이 드러나고 있다.

세대 차이를 느낀다는 자식들이 부모의 관심을 잔소리로 듣고 있다는 것에 공감하며, 마침내 그런 인연은 길가의 풀 한 포기만큼도 못하다고 인식한다. 마음의 안식처가 사라져 감을 아쉬워하며 물질만능의 세상을 실감하고 있다. 물질적인 것이 판치는 세상이라 그들이 안식처가 될 수 없음을 통탄한다.

화자는 박형동의 「작은 풀꽃이 내게 물었다」를 깊이 음미하고 위로 받으며 많은 생각에 몰두한다. '비집고 타고난 자리를 탓하지 않고/ 철 따라 씨앗을 맺고 나서 한 줌 흙으로 돌아가는 삶을 살아본 적 있냐고' 되물으며, 형상 없는 대상에게 소리 없는 소리를 지르고 있다.

이산가족 상봉이 시작되었을 때 아버지는 안 계셨고 어머니는 불편한 몸이 되셨다. 그래도 한 번 신청을 해볼까 했는데 어머니는 '이제 만나면 뭐 하겠냐, 혹시 북한의 가족들이 불이익을 당하면 어쩌나' 하셔서 선뜻 나서지 못했다. 그렇게 만날 생각도 못하고 그리움을 안은 채 어머니는 지금쯤 하늘나라에서 가족 상봉을 하고 있을까. 그 후에 국방부에서 시작된 납북자 유전자 검사를 하고 뒤늦게 오빠를 찾으려 했으나 소식이 없다.

– 「춤추는 허수아비」 중에서

「춤추는 허수아비」는 '만남의 의미는 무엇일까. 얼마나 오랜만에 잡아본 손인가'로 시작되는 작품이다. 짧은 서문 속에 실향민의 아픔을 내포하고 있어 많은 것을 생각하게 한다.

그동안 실향민은 전쟁으로 인한 고통 속에서 통일을 염원하며 살아온 세대이다. 실향민 2세들은 부모님만큼 고향에 대한 그리움과 전쟁에 대한 고통을 느끼지 않을 수도 있지만, 당사자인 실향민들은 그 애환을 가슴 속에 묻고 살아간다.

6·25 전쟁이 발생한지 올해로 71주기를 맞아, 김현찬은 '악랄했던 나치의 독일도 통일이 되었는데, 남과 북은 그렇지 않다'며 안타까워한다. 화자는 이산가족 상봉의 순간들을 '춤추는 허수아비'라고 말하고 있다. 이산가족들은 1950년 6·25전쟁 이후 본의 아니게 서로 떨어져 있어, 가족의 안부는 물론 생사를 모른 채 살아가는 경우가 대부분이다.

하지만 정책적으로 2005년부터 시작된 이산가족 상봉이 일곱 번 정도 마련될 수 있어, 3,700여 명이 재회의 시간을 가질 수 있었다. 이산가족 1세대는 연령이 약 75세에서 100세까지 이르러 고령화에 접어들고 있으므로, 앞으로는 그들이 통일이란 이름으로 회포를 풀어갈 시간이 언제 가능할지 미지수다.

후손들은 갈수록 그 애환이 식어갈 테지만, 화자는 돌아가신 어머니와 생사가 불분명한 가족을 안타까워한다. 때로는 '같은 남한에 살면서도 떨어져 살면 이웃사촌만큼도 못하다'고 푸념도 하지만, 상봉의 현장을 바라보며 헤어질 때 그 손짓들을 '춤추는 허수아비'로 표현한다.

서문에 쓴 짧은 문장이 각인되며 살아 움직이고 있다. '세미나 회의를 하듯 2시간 간격으로 만나고 쉬는 2박 3일의 행사, 가족이지만 하룻밤 잠을 자지도 못하니, 오랜 만에 만나 무슨 할 말이 있겠는가'라며 회한에 젖고 있다.

유럽의 모든 나라가 찬란한 고대의 역사와 아름다움과 예술의 극치를 자랑하며 담고 있듯 이탈리아도 그렇다. 특히 로마는 바티칸 시국이 있어 종교적으로 우세한 전지전능의 하나님이 보호하시는 것 같은 든든한 마음을 갖게 한다. 감동과 감탄으로 미로같이 진열된 작품을 감상하고 시스티나 성당에서 입이 딱 벌어진 채로 목이 꺾일 것처럼 미켈란젤로의 천장벽화와 천지창조를 잠시 아픈 다리 추스르며 보조의자에 걸터앉아 본다.

— 「은혜 풍성한 가을의 기도」 중에서

문인들과 이탈리아 문학기행을 하는 과정에서 감회를 기록한 작품이다. 그 어떤 여행이든 여행에는 낯섦과 설렘이 있어 역동적인 감정이 드러나게 된다.

집을 나서는 순간 여행은 그 자체로 생각의 변화가 일어나며 낮았던 자존감을 돌아보게 하고 삶의 현상을 상승시켜 주는 계기로 나타난다. 글 쓰는 사람으로서 문인들과 함께 떠나는 문학기행은 그 어떤 여행과도 비교할 수가 없다. 낯선 곳에서 작가들과 친목을 도모하며 창작의 폭을 넓히는 계기로 나타나기 때문이다.

수필가협회의 문학기행은 이탈리아 여행지에서 심포지엄을 하며 유적들을 답사하였으니, 글을 쓰는 사람으로서는 최상의 여행이다. 무엇보다 이탈리아 문학기행은 고대 로마에서 르네상스로 이어지며 유럽의 정신과 문학의 흐름을 파악할 수가 있어 얻는 것이 많았다.

인도 철학가 브하그완이 말했듯, 익숙한 곳에서 벗어나 타지로 여행을 가게 되면 타향에 대한 지식과 고향에 대한 애착, 자기 자신을 발견하는 계기가 될 수 있으므로 김현찬도 그 여행을 통해 많은 것을 얻고 있다. 로마의 깊고 찬란한 문화유산을 눈과 귀, 마음으로 확인하며 변신의 계기로 삼고 있기 때문이다.

독일의 시인 괴테도 1786년 이탈리아 여행을 통해 다시 태어났다고 말할 정도이니, 문학기행은 일반적 여행의 과정을 뛰어넘게 된다.

화자는 그 여행을 통해 '평화의 기도'를 쓴 성 프란체스코 1세를 생각하기도 하고, 로마에서는 바티칸 성당, 시스티나 성당에서는 미켈란젤로의 〈천지창조〉를 감상하기도 한다.

「은혜 풍성한 가을의 기도」는 이탈리아 문학기행뿐 아니라, 2015년 10월 코엑스 부스에서 열린 서울국제도서전에 대한 소감도 드러내고 있다. 이탈리아가 주빈국이 된 행사의 컨셉은 아동문학가 '잔니 로다리'의 독서철학에 대해 제시하고 있어, 글의 핵심으로 드러나는 것도 특징으로 나타난다.

문학기행을 다녀온 후 화자는 자료조사를 통해 이탈리아는 모든 예술의 도시로 알려져 있지만, 궁극적으로는 그 모든 문화가 종교적인 것에서 기인되었고 문학도 그렇게 발전되었다고 결론을 맺고 있다. 어쨌든 그 여행을 통해 이탈리아의 매력을 오감으로 느꼈음을 보여주고 있다.

무엇보다 이탈리아 밀라노는 우리 시대 최고 지성인 '움베르토 에코'의 도시가 아니던가. 뿐만 아니라 중세를 대표하는 시인 '단테', 르네상스의 탄생지 피렌체까지 헤아려 보는 계기가 되고 있어, 의미 있는 여행이다.

아침에 눈을 뜨면 또 하루가 시작된다.

반복되는 일들이 어디가 시작인지 구분 안 돼도 정해진 원통 속 24시간 하루가 돌아간다.

신기하게도 날이 어두워지고 해와 달이 뜨고 지고 어쩌다 의식 없이 이른 잠을 자면 바깥의 어둠이 밤인지 아침인지 잠깐 혼란도 있다.

－「봄, 기다리는 마음」 중에서

봄을 기다리는 마음이 삶을 살아가게 하는 원동력이 되어준다.

우리의 삶이 반복되는 일상이라 혼란이 올 때도 있지만, 봄을 기다리는 마음은 생동감 있는 삶을 살아가게 한다. 김현찬도 그날을 기다리고 있다. 어린이가 하루가 다르게 변해가는 것처럼, 나른한 환경에서 과감하게 벗어나서 짙푸른 내일을 염원하고 있다.

모든 것은 몸과 마음을 움직이는 정신이 지배한다. 마음의 온도가 긍정적인 관점으로 세상을 바라보는가, 아니면 부정적인 관점으로 세상을 내다보는가, 하는 경계선의 차이라고 생각된다. 생각에 시달리는 화자는 과거의 삶을 돌아보기도 한다.

봄을 기다리는 마음을 실현시키려면 무엇보다 보이지 않는 무의식에 자기최면을 걸어야 된다. 변화 없는 삶 속에서 변화를 추구해 나가려면 그 자체를 절실히 갈망해야 한다. 봄을 기다리는 마음으로 희망찬 삶을 살아가기 위해서는 변화를 추구해 나가겠다는 결심과 의지, 그것을 실현시키고자 하는 현실감각이 강할 때 가능하다. 변화하고자 하는 의지력이 삶의 기본적인 것으로 자리매김될 때 봄을 기다리며 살아갈 수가 있다.

긍정의 에너지는 무엇보다 강렬해 짙푸른 잎사귀를 틔워낼 수 있다.

사람은 나이가 들어갈수록 과거를 회상하며 향수를 찾아 헤매게 된다. 화자도 그와 다르지 않은 삶을 살아가고 있어, 지역적 고향을 뛰어넘어 '나의 살던 고향은 꽃피는 산골'이라 되뇌고 있다.

누구를 막론하고 일상의 삶이 무력감에 지배당하게 되면 꿈의 정체성까지 잃게 된다. 그런 삶을 살게 되면 공허감만 남게 되므로 늘 가슴 뛰는 일을 찾아 감정의 상태를 관리해 나가야 한다. 그때 비로소 행복한 삶, 의미 있는 삶을 누리게 되므로 봄을 받아들일 준비가 되어준다. 간절히 원하는 삶은 간절히 소망하며 실현해 갈 때 다가오기 때문이다.

꿈이 없이 견뎌가는 삶은 다가올 내일을 잃어가는 삶이므로, 아침 해가 뜰 때마다 기지개를 켜며 봄을 기다려야 한다.

지금은 수필의 시대이다.

수필은 현학적인 글, 감정을 드러내지 않은 글은 감동을 줄 수가 없다. 일반적인 글감이라 해도, 글쓴이의 영혼이 투영된 글이 독자의 마음을 움직일 수 있다. 사람의 모습이 다양하듯 삶과 문학에 있어서도 그 모습이 다양해 정답이 없으므로, 진솔하게 쓴 글은 그 사람의 실체임을 깨닫게 한다.

김현찬의 글은 '진실'로 점철되어 있는 것이 특징이다. 누구나 그러하듯, 화자의 글이 더욱 다듬어지면 좋겠지만, 글의 정서나 고백성은 독자의 마음을 끌어당기는 흡입력이 있다. 작가의 진실성이 드러나고 있어 독자의 마음을 잡아당기고 있다.

바로 그것이 수필의 진면목이다.

교육생활에서 퇴직한 김현찬은 정년을 계기로 더욱 문화생활에 몰두하며 전시회에 다니기도 하고, 문학기행에 참여하기도 하며 글을 쓰기 위한 지경을 넓혀간다. 인간과 자연의 조화를 추구하던 훈데르트바서, 또는 여러 화가와 작가에 접근하며 그 창조물을 중요하게 생각한다. 그러면서도 때론 해바라기 같은 사랑에 가슴 아파하기도 하고, 에덴 이후 최초의 인간인 카인과 아벨의 형제간 비극을 헤아려 보기도 하면서 원초적인 근원에 대해 고민한다. 그 중심에는 현대와 다를 바 없이 물질만능이 중심축을 이루므로 씁쓸레함을 표현한다.

삶의 실체를 인지한 화자는 마침내 박형동의 「작은 풀꽃이 내게 물었다」를 음미하며 위로를 받게 된다. 마음이 기지개를 켜며 봄을 기다리고 있으니 긍정적인 생각을 하는 사람이다.

수필집 『삶의 정원 거닐며』 발간을 진심으로 축하한다.